# 面白い物語の法則〈下〉

## 強い物語とキャラを作れるハリウッド式創作術

クリストファー・ボグラー&デイビッド・マッケナ
府川由美恵（訳）

角川新書

# 目次

# 第13章 ウラジーミル・プロップのおとぎ話アプローチ

ボグラー

本章では、一九二〇年代のロシア・フォルマリズムの時代に、ウラジーミル・ヤコブレビッチ・プロップ（一八九五～一九七〇年）という研究者が提唱した、無名の学術的理論について述べようと思う。すでに悲鳴をあげて逃げていこうとする読者もいるかもしれないが、楽しい話であることは保証するし、物語を見る目も変わると思う。プロップの理論は、実に素朴な、たいていの人にとっては愛らしくさえ思える、おとぎ話についての理論だ。おとぎ話は誰もが直観的に理解できる物語だが、プロップはそれを初めて体系的にとらえようとした人物で、おとぎ話が内に秘めているものについても、いくつかの単純な疑問を呈した。おとぎ話はどうやって創られているのだろうか？　いまだに誰にでも理解でき、果てしなく多様なパターンを持ち、世界中に存在するおとぎ話ができるまでに、いったいどんなピースが必要なのだろうか？

私がディズニー・アニメーション社で働いていたときに、たくさんのおとぎ話の評価を頼まれたことがある。〝生〟のままのものから、〝調理〟されたり、現代の作家が台本にしたものまでいろいろあった。おとぎ話の暗号を解くためには、ジョーゼフ・キャンベルの英雄伝説の分析と似たような何かが必要だ、と私は思った。キャンベルが見いだした英雄伝説の要素には、おとぎ話の世界でも見られるものもたくさんあったが、おとぎ話ではまた違った形をとっていて、明らかに独自のルールに従っているように思えた。

おとぎ話の構造を解き明かす暗号はなかなか解読できなかったが、やがて私は、プロップの『昔話の形態学』（白馬書房、一九八七年）という本に出会った。プロップは、文学の形態の研究に、ある種の科学的な原理を適用しようとした、ロシア・フォルマリズムと呼ばれる文学論の学派に所属する研究者だった。この学派は、ただ単純に文学の形態そのものを見るために、心理学的な解釈や詩的な解釈を無視し、昆虫の体の器官や種類を研究するかのように、文学表現の目録化や分類をおこなっている。プロップも表現の形態や機能に興味を持ち、そしてくり返し同じ問いかけをした——パターンはどうなっているか、どうしてパターンがあるのか？　一般的な文学的技巧は、物語においてどう機能しているのか？

プロップは、ロシアのグリム兄弟と呼ぶべき民俗学者、アレクサンドル・N・アファナシエフが収集したおよそ１００の口伝のおとぎ話に、自分のフォルマリズム的アプローチを適用した。

プロップの主張によれば、おとぎ話でくり返される操作や機能など、反復パターンの多くは対になっているという。プロップが見つけだしたこれらの〝機能〟は31あり、〈ヒーローズ・ジャーニー〉の要素とも似たところがある。

プロップの物語の見かたをざっと確かめてみるのは、優れた物語作家を目指す人間にとっては、きっと価値ある寄り道だと思う。民話研究家のアラン・ダンデスは、『昔話の形態学』に寄せた序文のなかで、プロップのアプローチはおとぎ話だけでなく、ほかの語り形式にも適用できると述べている。

「文化のパターンは通常、さまざまな文化的な素材におのずと現れてくる。プロップの分析は、小説や戯曲、マンガ、映画、テレビドラマなどの、文学的形態の物語構造を分析するのにも有益なはずである」(『昔話の形態学』第二版の序文)【訳注:[Austin : University of Texas Press, 1968], pp. xiv–xv/邦訳にはこの序文はなし】

まったく同感である。キャンベルの〈ヒーローズ・ジャーニー〉や、本書で扱ったほかのパターンと同じように、プロップの見いだした〝機能〟は、物語構造のもうひとつの青写真、語りを構築するためのもうひとつの論法としても適用でき、物語の謎を解き明かす重要なもうひとつの鍵(かぎ)を提供してくれる。

## プロップの〝機能〟

ところで、プロップの研究の本質はどんなものだろう？　１０３のロシアのおとぎ話を調べた結果、プロップは31の物語〝機能〟、もしくはキャラクターによる重要な行動を見いだした。これをひとつひとつ検証し、〈ヒーローズ・ジャーニー〉の12のステージと比較しつつ、物語の書き手にとってはこれらがどんな目的で使われているのか突きとめてみたい。

注意してほしいのは、プロップが分析したおとぎ話には、実際にプロップが概略を示したとおりの順序で話が進むものは、ひとつもないということだ。つまり、どれもひとつかそれ以上の〝機能〟が省略されたり、異なる順番に並び替えられているということであり、プロップの〝機能〟システムの柔軟さをうかがわせる。プロップの〝機能〟は、完全なおとぎ話の主要プロットというよりは、大量のサンプル抽出から拾い集めた選択肢の一覧に近い。

（学術畑のかたがたへ——プロップは自分の〝機能〟に、二種類のまったく異なる記号と番号を割り当てている。ひとつはギリシャ文字とラテン文字を使ったもので、あまりに複雑なのでここでは説明しない。幸いプロップは、単純に数字をふる方法も使っているので、ここではそちらを採用する）。

これらの〝機能〟の説明を読みながら、自分が書きかけている物語や、自分の知っている映画や戯曲、小説などと比べてみてほしい。そこにプロップの〝機能〟は見つけられるだろうか？　自分の物語にもその〝機能〟が提示する技巧が活用できるだろうか？

**プロップの〝機能〟、及び〈ヒーローズ・ジャーニー〉のステージとの比較**

**導入の状況**――どこかで暮らしている家族、または主人公がいる。

プロップが［導入の状況］と呼んでいるのは、主人公の名前、家族における主人公の立場、主人公の職業を紹介する部分である。〈ヒーローズ・ジャーニー〉では〈日常世界〉に相当する部分で、舞台を用意し、キャラクターの紹介をおこなう。誰かについてのどこかの物語であることが、ここでわかるようになっている。

１　**留守**――「ここに足りないのは何？」
家族のひとりが死ぬ、さらわれる、行方不明になる。主人公の人生から何かががなくなる。

〈ヒーローズ・ジャーニー（HJ）〉で対応するステージ↓〈日常世界〉

おとぎ話におけるこの部分は、孤児になる、捨てられる、道に迷う、あるいは単に家族を失って悲しんでいる——など、主人公への同情を生みだす機能と見られる。『オデュッセイア』から『ファインディング・ニモ』にいたるまで、家族が家を去り、物語の不安なエネルギーを誘発するところから始まる物語はたくさんある。物語は、心理学者のブルーノ・ベッテルハイムも指摘するように、家族が完全になることへのあこがれであるようにも思える。『白雪姫』『シンデレラ』『長靴をはいた猫』などの童話は、家族の誰かの死から始まり、読者は自動的に主人公の身の上を案じるようになる。

2　**禁止**——「……をしてはなりません」

誰かが主人公に何かを禁じる（ドアをあけてはならない、森へ行ってはならない、など）。

〈HJ〉で対応するステージ↓〈冒険への誘い〉

この機能と次の機能は、〈冒険への誘い〉と〈冒険の拒否〉と見ることができると思う。〈冒険の拒否〉の下には、私なら〝秘密の扉の決まりごと〟、つまり、主人公がやるなと言われ、それでもどうしてもやらなければならない何かが出てくるというプロット機能を入れたいところだ（この〝決まりごと〟は、プロップの［禁止］と同様、逆にも働く。主人公がやりなさいと言われ、しかしどうしてもできないというプロットだ）。

ヒッチコックの映画では、主人公が物語の最初のほうで〝してはいけない〟小さな罪を犯し、それがうっすらと罪悪感の影を投げかけ、プロットを複雑化し、しまいには命をおびやかしかねない状況を引きおこすことが多い。

（注意——機能2と3は、プロップが最初に見いだした対の機能のひとつで、一連の原因と結果のセットとなる。コンピューター・ゲームの設計に組み込まれる、物事を引きおこす引き金のようなもので、条件Aが満たされれば、自動的に行動Bが起きる、という形をとる。プロップのシステムは、実際にコンピューター・ゲームのエンジンとして、よくできたシナリオを生みだしている）。

3　**違反**——「君は僕のボスじゃない」

主人公が禁じられたことをやってしまう、または、やれと言われたことをやりそこなってしまう。

〈HJ〉で対応するステージ↓〈冒険の拒否〉

現代物では、警告を無視する衝動は、キャラクターの気まぐれ、権威に対するさまざまな抵抗、あるいはいたずら心という場合もあるが、おとぎ話においては、主人公は単に何も考えず、警告を忘れてしまう。箱をあけてしまうパンドラのように、好奇心から禁を犯すこともある。

## 「フォースに乱れを感じる」

プロップは特にそうは言っていないが、禁止や警告に反してしまうと、敵対者の警戒を引きおこす。禁を犯すという主人公の小さな過ちは、敵対者の注意を惹き、結果的には、敵対者が献身しているもっと大きな悪を招くきっかけになっているようにも見える。ロシアのおとぎ話の敵対者には鋭い嗅覚を持つ者もいて、猟犬のごとくにすぐ主人公を嗅ぎつける。自分の張った悪の蜘蛛の巣に、ちっぽけなじゃま者が紛れ込んだときのように。

## 4　探りだし――「フィー、フィ、フォ、ファム、イギリス人の血の臭いがするぞ」

機能3で警戒心を抱いた敵対者が、主人公の情報を探りだそうとする（もしくは主人公が敵対者の情報を探ることもある。いずれにせよ誰かがほかの誰かに興味を持つ）。

〈HJ〉で対応するステージ↓〈冒険への誘い〉の一部、または〈試練、仲間、敵〉の一部

敵対者の［探りだし］の好例としては、『イングロリアス・バスターズ』のオープニングで、逃げたユダヤ人を探すナチスの士官の場面がある。

現代物の物語文法においては、敵対者は第一幕か、第二幕の初めまでは登場しないことも多いが、何度も密使のようなものを送って主人公を監視するか、主人公の存在を察知している密偵を使う。

　プロップによれば、［探りだし］の機能は、敵対者の情報を探る主人公によって動かされることもあれば（連続殺人鬼の思考を洞察しようとする、『羊たちの沈黙』のクラリス・スターリングはその例だ）、主人公もしくは敵対者の情報を求める〝ほかの人物〟、たとえば両者のあいだにいる刑事や探偵に動かされることもある。

5　**情報漏洩（ろうえい）**──「敵が姿を現しました」

　敵対者が主人公の情報を得る。もしくは、通報者が現れることで、主人公が敵対者の情報を得る。

『イングロリアス・バスターズ』の敵対者（クリストフ・バルツ）。第一幕の印象的な［探りだし］の場面。

〈HJ〉で対応するステージ↓〈冒険への誘い〉または〈試練、仲間、敵〉

いずれかの時点で、敵対者は主人公の存在を知り、そして主人公も敵対者の存在を知る。4と5も対になっている。プロップは、この両方の機能が、短い会話で効果的に表現される場合があると述べている。強欲な役人に「この貴重な宝石をどこで手に入れた？」と聞かれた農民が、「ああ、めんどりが産んでくれたんですよ」と返事をするといったふうに。主人公が敵対者について知りたかった情報を手に入れる、もしくは、敵対者の問い合わせが主人公に危険を知らせる。この二つの機能の全般的な目的は、主人公と敵対者のあいだにつながりを持たせることだ。観客は、片方がもう片方の存在に気づいたことを知る必要がある。

6　**謀略**──「あいつを騙(だま)してやろうじゃないか」

敵対者が情報を利用し、主人公を騙したり、罠(わな)にかけたりする。または何かを盗む。

〈HJ〉で対応するステージ↓〈試練、仲間、敵〉

敵対者が変装する、または〈変身する者〉のように姿を変えるなどして、新たな形態をとる。『白雪姫』の美しい女王は、老婆になって毒リンゴを姫に与えようとする。敵対者は主人公に何かをするよう説得する、あるいは呪文をかける、眠り薬を与えるなどの直接的な魔法や力を使う。『オズの魔法使い』の魔女は、呪文を使って主人公たちをケシ畑で眠らせてしまう。敵対者が罠を仕掛けたり、主人公をまちがった道に誘い込む標識を立てたりする。

〈ヒーローズ・ジャーニー〉では、私はこうしたタイプの場面を第二幕の最初のほうに置いたが、プロップは、物語のかなり早い段階で、第一幕の場面として出てくることが多いと考えている。

## 7　**幇助**（ほうじょ）――「僕を欺いたな」

主人公が騙される、もしくは知らず知らずのうちに敵を助けてしまう。

〈HJ〉で対応するステージ↓〈試練、仲間、敵〉か〈最も危険な場所への接近〉、あるいはその両方

プロップの［幇助］は、〈ヒーローズ・ジャーニー〉においては、パーソナリティの異なる側面が探られ試される部分と対応している。主人公は、騙されて敵のことを仲間と思い込んでしまったり、ときには騙されてしばらく敵を助けてしまうこともある。6と7は主人公の無邪気さの証明であり、観客に同情や感情移入をさせるテクニックでもある。『ローズマリーの赤ちゃん』の恐ろしさは、ローズマリーが騙されて悪魔の子どもを産み、その子どもを愛してしまうというところだ。白雪姫は自分の意思で、悪い女王の持ってきたリンゴをかじる。民間伝承によれば（そしてスティーブン・キングの『呪われた町』によれば）、吸血鬼は、襲おうとする相手が自分から招いてくれないかぎり、相手の寝室には入れないという。

8　**加害**――「これはもう僕自身への攻撃だ」

敵対者が主人公やヒーローに近しい人物に危害を加える、もしくは何か強力な

ものが主人公のもとにやってきて、主人公の世界が消えてしまう。

〈HJ〉で対応するステップ↓〈冒険への誘い〉〈戸口の通過〉

プロップは、この機能と次の三つの機能、すなわち8～11は、プロップが〝発端〟と呼ぶひとつの単位を形成するものであり、これらは連続して、物語の主要部分、あるいは物語の開始時に起きると述べている。

## 悪行

ここでプロップは、物語には悪行、または物語を駆りたてる有害な欠如がなければならないという重要な点に気づいた。私が〈ヒーローズ・ジャーニー〉へのアプローチで〈欠如〉の概念を織り込んだのも、プロップのこうした洞察を意識した結果である。

敵対者が最初の悪行をおこなう場所は、私のまとめた物語構造では特定はしていない。しかし、敵対者の最初の悪行が主人公の世界を転覆する触媒となったり、冒険の引き金となる場合は、〈冒険への誘い〉が最初の悪行の場となる。敵対者が〈戸口の通過〉まで襲ってないこともあり、この場合は、そこでの悪行が主人公を冒険に向かわせる最終的な引き金となる。

敵対者の暴力や悪事は、実際には物語構造のほとんどすべての場面でおこなわれ、ときには主人公が生まれる前から始まっていることもあり、そのおこないが主人公の人生にマイナスの影響を及ぼす。敵対者のなかには、ラストシーンにおいてもまだ主人公に短剣を投げつけてくる者もいる。

### 欠如

プロップは、サンプル抽出した物語のいくつかに、明白な敵対者がいないにもかかわらず、主人公が何かに苦しむという話があることを発見し、この条件を［欠如］と呼んだ。主人公の人生か、主人公の暮らす共同体に足りない何かが動機となって物語が動きだし、存在しない要素を探し、勝ちとり、置き換え、救いだし、復活させるために努力をする。このほか、愛する者がさらわれる、魔法をかけられる、行方不明になる、主人公が馬や剣を必要とする、人々が飢饉（ききん）に苦しむといったケースが見られる。

〈ヒーローズ・ジャーニー〉のアプローチでも、［欠如］の概念を、物語や主要キャラクターに不可欠な要素として認識している。通常は物語の初めのほうで、主要キャラクターの人生に心を痛める欠如があるとか、家族や社会に失われた要素があるという形で示される。

ラブストーリーや家族ドラマでは、本当の敵対者は存在せず、欠如に動かされる物語が多いが、たいていは登場人物のなかの誰かが一時的に悪役を演じる。ダーレン・アロノフスキー監督の映画『レスラー』は、主役に攻撃を仕掛ける敵対者は置かずに、巧みな手法をとっている――主役が自分で自分に攻撃するのだ。この物語において主人公の闘いを生みだしている［欠如］は、真の家族生活の欠如だ。

**9　仲介、つなぎの段階――**「オビ＝ワン・ケノービ、あなたが私の唯一の希望なのです」

［派遣者］が不運や欠如を主人公に知らせる。主人公は、助けを求められたり、［派遣者］から使命を与えられて送りだされたり、とらわれの身から解放されたりする。

〈ＨＪ〉で対応するステージ↓〈冒険への誘い〉〈賢者との出会い〉

プロップは、物語を進める二つの論理的な段階を見つけだした。ひとつは主人公が欠如や悪行に気づく段階、二つめは主人公が誘われる、派遣される、解放されるなどして、欠如や悪行を正す冒険に突入する段階である。

**派遣者＝使者**

プロップの［仲介］は、〈ヒーローズ・ジャーニー〉の第二ステージ、〈冒険への誘い〉に対応する。プロップの［派遣者］は、〈ヒーローズ・ジャーニー〉の〈使者〉と同じ行動をとる。

〈賢者〉の役割、またはプロップの［贈与者］機能（機能12参照）を演じるキャラクターも、［派遣者］もしくは〈使者〉をやることがある。

10　**対抗開始**――「任せてくれ。誰かがやらなければならない」

通常は主人公が言葉で自分の意思を宣言する。たとえば、「われわれに姫君を探させてください」というふうに。

〈HJ〉で対応するステージ↓〈戸口の通過〉

これは主人公が冒険に出る、あるいは冒険に放りだされるのに必要な機能である。冒険に出ることを伝える会話がなされることもあるが、視覚的な映画の言語なら、［対抗］が始まるとわかるように、主人公が出発したり、準備を整えている場面などで、より効果的に示すことができる。冒険が本当に始まることを告げるために、管楽器やドラムがきわだつ新たなリズムの音楽を流してもいい。

11　**出立**――「荷馬車を出せ！」

主人公は故郷をあとにし、冒険に着手する。

〈HJ〉で対応するステージ↓〈戸口の通過〉

主人公が前進すると宣言するだけでは充分ではない。実際に出発しなければならない。ここは映画のストーリーにおいては非常に重要で、通常は力強い音楽で場面を強調し、大きな変化がやってきて新しい世界へ入っていこうとしていることを観客に伝え、主人公が旅をする姿、あるいは新しい世界に到着する姿を視覚的に見せる。

12　**贈与者の第一機能**――「この仕事ができるか？」

主人公が［贈与者］と出会う。［贈与者］は、最初は主人公を試したり、疑念を呈したり、ときには主人公を攻撃してきたりする。

〈HJ〉で対応するステージ🡻〈冒険への誘い〉と〈賢者との出会い〉とが組みあわさったもの

〝師〟〝贈与者〟〝年老いた賢者〟と呼び名は異なるが、どれも主人公を助けるため、主人公の探求に必要な武器、魔法、知恵、訓練、導きなどを与える役割を担っている。この役割を果たすキャラクターがいない物語もあり、この場合は主人公自身の内部にある何かがその役目を負う――主人公の直観や過去の体験、または、強い倫理規範などの〝内面的な指導システム〟によって。

〈賢者〉または［贈与者］は、普通は主人公に親切だが、プロップによれば、最初のうちは荒々しく見えることもあり、主人公の覚悟や価値を試すために、攻撃したり挑んだりしてくる。『ライオン・キング』の祈禱師（きとうし）で、シンバの師となるラフィキは、何度か主人公の頭を殴りつけて力を試し、贈与者からの贈り物としてシンバの亡き父の幻を見せる。

13　**主人公の反応**――「僕にはまだ準備ができていない」、または「何が待ち受けているんだろう、行くぞ！」

主人公はテストに受かるか、一時的に失敗する。再試は三度に及ぶこともあるが、最終的には合格する。

〈HJ〉で対応するステージ↓〈冒険の拒否〉

物語にこの段階が必要なのは、冒険には厳しい選択や難しい技能の習得がつきものだと示すためと思われる。主人公が一時的にテストに失敗したり、冒険への誘いを拒んだりする場合、その遅れがしばらくは暗雲となる。主人公は挑戦を受け入れるのか、試験に合格できるのか、それによって魔法の助けを借りることができるのか？　主人公には冒険の能力があるのか、もしなければこれからどんな準備が必要なのか？

**14　呪具の贈与・獲得──「これがあれば旅の助けになるはずだ」**

主人公は、武器、道具、魔力、移動手段を贈与者から与えられる、もしくは仲間や支援者の助けを勝ちとる。

〈HJ〉で対応するステージ🡇〈賢者との出会い〉または〈試練、仲間、敵〉

プロップの［贈与者］という用語は、〈ヒーローズ・ジャーニー〉における〈賢者〉の真の機能を明確にしてくれる。〈賢者〉の仕事の本質は、正確に言えば〝与える〟ことだ。［贈与者］は、金銭、助言、情報、励まし、愛情など、主人公が必要とするものを与える。ここは短い場面になることもあり、物語のほかの部分で別の類型を演じるキャラクターが一時的にその役目を担う場合もある。ときには敵が一時的な［贈与者］を演じることもあるが、その贈り物には何か嫌なものが隠されていることが多い（悪い女王が白雪姫に与えたりンゴのように)。

この機能は〈試練、仲間、敵〉の範囲まで広がることがある。主人公が［贈与者］から与えられるものが、これから〈仲間〉になることもあるからだ。［贈与者］が魔法の馬の扱いを教えてくれたり、魔力を持った人物との関係を取り持ったりして、その贈り物がその後の物語で忠実な仲間となったりする。

**15　空間移動**――「黄色のレンガ道をたどっていきなさい！」

主人公の探しているものがある新しい土地へ移動する、または案内される。

〈ＨＪ〉で対応するステージ↓〈戸口の通過〉または〈最も危険な場所への接近〉、もしくはその両方

主人公はさまざまな地点でこうした導きを受ける――初めて家を出るとき、［贈与者］と会って魔法の贈り物をもらうとき、そのほか、主人公が遠くの場所へ移動する必要があるときはつねにだ。主人公は、〈特別な世界〉まで旅をし、さらに最後の旅をしてその世界の

中心に行き〈〈ＨＪ〉の〈最大の試練〉〉、そこで守られている場所の入口にたどりつき〈〈ＨＪ〉の〈最も危険な場所への接近〉〉、さらに報酬を手に入れて帰りの旅につく〈〈ＨＪ〉の〈帰路〉〉。［贈与者］または〈賢者〉、あるいは〈仲間〉が主人公を導くか、魔法の贈り物（魔法のじゅうたん、空飛ぶ馬、バットマンのバットモービル）が移動手段になることもある。『オズの魔法使い』では、よい魔女がドロシーに、「黄色のレンガ道をたどっていきなさい！」と教える。

16 **闘い**——「生きてここを出られるのはわれわれのどちらかだけだ」

主人公と敵対者が闘う、知恵を競いあう、トランプで勝負する。もしくは、主人公が自分に足りないもののために苦闘する。

〈ＨＪ〉で対応するステージ↓〈最大の試練〉

戦闘、ゲーム、競争、取っ組み合い、両雄間での決戦などは、娯楽の真髄であり、何よりも観客が注目する場面だ。物語の中心にこうしたものがなければ、おもしろい作品にはならないことを、誰もが本能で知っている。プロップは争いの種類までは明確に示していないが、大きな賭(か)けとなる闘い、通常は生か死かの争いがここで起きる。もし実際に闘うべき敵対者がいなければ、主人公は自分の［欠如］や自分に立ちむかってくる力と闘い、死の瀬戸際まで追い詰められる。

**17　しるしづけ――「あいたたっ！」**

主人公は戦闘により見た目にわかるほど傷つく、戦闘後になんらかの烙印(らくいん)かしるしが残る、または指輪や飾り帯などの記念品を手にする。のちにそれが主人公の勝利を証明する。

〈HJ〉で対応するステージ↓〈最大の試練〉または〈報酬〉

これはおとぎ話の最も興味深い特徴であり、北欧神話の片目のオーディンや、ギリシャ神話で自分の目をくりぬいたオイディプスなど、神話のモチーフとしてくり返される傷ついた英雄の姿が示される。負傷のはっきりとした痕跡(こんせき)は、冒険の真剣さを強調しており、主人公の内面的な変容の象徴とも言えるかもしれない。プロットのなかでは実用的な機能も持ち、物語のあとのほうで主人公の主張が疑われた際、主人公が闘いの真の勝者である証拠となる。

体の傷ほど劇的な効果はないかもしれないが、指輪や飾り帯のような記念品も同じ機能を持っている。神話では、ドラゴンを倒した英雄が手にする魔法の剣が、その役目を果たす。また、松明（たいまつ）が［しるし］となり、主人公が洞穴を出るための道を照らすこともある。

### 18 **勝利**――「死ね、悪党！」

敵対者が倒される。プロップがサンプル抽出したおとぎ話のいくつかでは、当初の敵対者が殺されたり制圧されたりしても、第二の敵対者が取ってかわることがある。

〈HJ〉で対応するステージ↓〈最大の試練〉〈復活〉

現代の物語では、〈最大の試練〉の中盤で最初の敵対者が主人公と命をかけて対決した場合、通常は敵対者も生きのび、クライマックス〈ＨＪ〉の〈復活〉で再び主人公と顔を合わせ、そしてようやく倒される。それでも主人公は、物語半ばで敵対者や密偵相手におさめた不完全な勝利に喜ぶ。観客も敵対者が死んだと思い込まされるが、のちになんらかの手段で生き返ったのを知ることになる。

プロップがサンプル抽出したロシアのおとぎ話には、二人の敵対者が登場するものが数多くある——最初の敵、そして二番めの敵、ライバル、または〝偽の主張者〟だ。〝偽の主張者〟はいくらか遅れて登場し、主人公が最初の敵を倒したことに疑いを投げかける。これが不安感や複雑さを生み、そしておとぎ話では定番のモチーフ、三つの不可能な課題をお膳立てすることになる。姫君かその父王によって三つの課題がライバルたちに与えられ、どちらが優れているかを証明させられる。

現代の物語では、第二の悪者がおとりとして使われることはあまりないが、ロマンスでは、結婚の直前に現れたかつての恋人が、花嫁と花婿の絆(きずな)を試そうとするケースはある。たいていの物語には強靭(きょうじん)なひとりの敵がいて、最初から最後まで主人公のじゃまをしようとする。ただしスリラーなどでは、プロップの第二の敵対者的な人物を使い、観客を驚かそうとするものもある。映画『白いドレスの女』では、主人公が〈最大の試練〉のさなかでたくましい男を殺すが、第三幕で本当の敵が明らかになる。すべては主人公に殺人を犯させようとした、男の妻のたくらみだったのだ。

**19（欠如・負傷の）解消**――「幸せな日々が戻ってきた」

敵対者が主人公に負わせた傷が癒える、もしくは欠如していたものが回復する。

〈HJ〉で対応するステージ↓〈報酬〉〈宝を持っての帰還〉

この機能は、〈ヒーローズ・ジャーニー〉においては、倒したドラゴンの宝庫から主人公が武器や宝物を手に入れる〈報酬〉のステージや、〈日常世界〉で失われていたものを〈特別な世界〉から持ち帰る〈宝を持っての帰還〉のステージに近い。

プロップの柔軟な物語モデルは、この時点で最初の問題が解決されて終わるようになっている。だが、プロップが見いだしたことによれば、物語に再び騒動が起き、主人公が〈報酬〉や愛を得る難しさを伝えるため、物語がまだ続くケースも多い。機能19で物語が終わる場合は、この［解消］により、敵対者がもたらした損害が完全に修復される、もしくは

［欠如］の空虚さが満たされる必要がある。物語における正義が達成された満足感が必要となり、罪には相応の罰が、損害には相応の報酬や補償がもたらされる。この調和から逸脱すれば違和感をもたらし、観客も不満に感じるだろう。

### 20　帰還――「もうすぐ家だ」

主人公が故郷を目指す、あるいは宮廷へと出向く。

〈HJ〉で対応するステージ↓〈帰路〉

主人公が家に戻る、あるいは冒険を終わらせようとして〈特別な世界〉から引き返すとき、物語はその瞬間を明確に示す必要がある。これは第一幕終盤〈戸口の通過〉の逆の場面となる。主人公が終わらせる意思をきっぱりと口にする、もしくはただ単に、荷物をまとめて家に向かうときが来たと認識するだけのこともある。映画のこうした場面では、しばしば感動的な音楽が力強い合図となる。これに駆りたてられるように、物語はクライマックスへと向かっていく。

## 21 追跡──「つかまえられるなら、つかまえてごらん」

主人公が、敵対者の身内か仲間に追いかけられる。

〈HJ〉で対応するステージ↓〈帰路〉

追跡シーンはアクション映画の大黒柱であり、映画史の早い時期から、観客が退屈してきたときにペースをあげる機能を果たしてきた。追跡劇はサスペンスや興奮を生みだし、ドラマに競いあいの楽しさを加えてくれる。ロシアのおとぎ話に登場する幼い少女ワシリーサは、森の中で人食い魔女のバーバ・ヤガーに追いまわされ、エキサイティングな追跡場面を演じる。

以前『神話の法則』で、追跡のいくつかのバリエーションについて書いた。主人公とその仲間は、敵、あるいは（プロップが言うように）敗北した敵対者の身内や仲間に追われることがある。だが、逃げた敵、誰かを誘拐したり何か大事なものを盗んだ悪者を、主人公が追いかけることもある。また、逃げた恋人を追うケースもある。極端な例をあげると、西部劇の古典『シェーン』では、主人公は悪者を追い、主人公を崇拝する幼い少年は主人公を追い、少年の犬が少年を追う。
長らく旅していた土地も、［追跡］のおかげですばやく通過できる。すでに見てきた土地なので、追いかけられながらの帰りの旅は、短縮版でも可能というわけだ。

## 22　救助――「あなたは私のヒーローよ」

主人公が誰かに助けられる、もしくは誰かを助ける。

〈ＨＪ〉で対応するステージ➡〈帰路〉〈復活〉

ここでは、とらわれていたり危険な目に遭っていた主人公の愛する誰か、もしくは主人公自身への心配が一気に解消され、さまざまな感情のエネルギーが解放される。〈復活〉、つまりは死からの帰還に相当する。映画の救出劇ではたいてい歓喜や勝利の音楽が流れ、闇が光に変わる。
［救助］自体がクライマックスとなる物語もあるが、救助劇はほんの一エピソードで、このあとさらにクライマックスが待っているというケースもある。

## 23 気づかれざる到着――「あんたには見覚えがあるんだが、どうも思いだせないよ」

主人公が目的地に着いても、誰も気づかない。

〈HJ〉で対応するステージ↓〈復活〉

過酷な冒険のせいで、主人公がまったく変貌(へんぼう)してしまい、人に気づかれないことがある。成長した、服がぼろぼろになった、新しい衣服に着がえた、なんらかの大きな傷を負ったなどのおかげだ。このバリエーションとして、気づいてはもらえるが、主人公の偉業には気づいてもらえないという場合もある。〈特別な世界〉で変貌をとげるほどの体験をしてきた人間が、故郷の人々に何があったかを理解させるのは簡単ではないだろう。証拠でもないかぎり、人生を変えるような命がけの偉業など、世間はまともに取りあってはくれない。

「気づかれざる到着」は、観客の不安や主人公への同情を生む。すべてを乗りこえてきたというのに、最後にきて排除され、無視されてしまうのか？『ボディ・スナッチャー』の恐ろしいエンディングもそうだ――主人公が走りまわり、われわれはみんな破滅してしまうと真実を叫んでも、頭のおかしい奴だとしか思われない。

別のバリエーションとして、主人公自身が気づかれたくなくて変装しているケースもある。いま正体が知れると殺される、または、敵対者と闘う前にひそかに情報を集める必要があり、正体を明かせない場合などだ。クエンティン・タランティーノの『イングロリアス・バスターズ』は、この機能をコメディにし、秘密部隊のリーダーでテネシー出身の荒っぽいアルド・レイン中尉に、滑稽(こっけい)にもイタリア人のなりをさせ、ナチスの映画公開の初日をぶち壊しにさせる。

24　**不当な要求**――「この詐欺師をつかまえて、私に正当な褒美をください」

**『イングロリアス・バスターズ』の主人公は、最終目的地に着いても気づかれないようにする。**

新たな敵対者が登場し、最初の敵対者を負かしたのは自分だと言い張ったり、姫君の結婚相手、もしくは王国の後継者になる権利は自分にあると主張する。

〈HJ〉で対応するステージ↓〈復活〉

〈復活〉の段階で主人公に与えられる最後の試練として、ライバルが現れる、または主人公の勝利に疑念を投げかける状況が生じる場合がある。この最後の障害の出現で、物語の不安と緊張が増大する。これと似た場面は、実際の伝統的な結婚式にも見られる。司祭が参列者に、この結婚に異議のある者はないかと問いかけ、「もしあればいまここで言うか、永遠に沈黙を守るように」と言う。最後の試練である偽の主張にも屈しなければ、報酬を受ける権利は主人公にあると証明されるわけだ。

25 **難題**――「やりかたは知ってのとおり、三つの困難な課題を先にやりぬいた者に姫を娶らせる」

姫君（またはその父王）が主人公に困難な課題を与える、もしくは主人公が偽の主張者とともに課題をやる。三つの課題が登場するおとぎ話はめずらしくない。

〈ＨＪ〉で対応するステージ🡻〈復活〉

物語のクライマックスは、主人公がさまざまな角度から試される、複雑な展開になることもある。〈特別な世界〉でドラゴンを倒したはいいが、それでも疑いをかけられ、〈日常世界〉への帰還の障害となる。あるいは、宮廷において、主人公がさらに高いレベルに成長したことを示す必要が生じる。

〝三つの〟課題、あるいは何かを三回くり返すという課題は、おとぎ話では重要または困難な何かを示す手法だ。三という数字は完成を意味し、主人公があらゆる面から人生を学ばなければならないことをあらわしている。また、課題を反復することにより、リズムやサスペンスを生みだしてもいる。

三つの課題はプロットを豊かにする優れたテクニックだが、現代の物語ではこの部分をスピードアップさせるのがつねで、終盤に及んで三つの障害を出すのは賢明ではないかもしれない。三つの課題は世界中のおとぎ話や神話に共通のモチーフで、物語のラストに限らず、さまざまな場面で登場してくる。

26 **解決**――「できました――友人たちの助けは少し借りましたが」
主人公が困難な課題をなしとげる。魔法を使える誰かの助けを借りることもある。

〈HJ〉で対応するステージ🡻〈復活〉

主人公が課題に失敗する場合もあり、そうなると物語は悲劇に終わる。おとぎ話ではその展開はまれで、たいていは主人公が打ち勝つ。旅での経験を総動員し、勝利をつかむこともある。旅路で出会ったすべてのキャラクターから、自分にも役にたつ性質を見つけ、自分の内面に採り入れ、自分が学んで成長したことを示してみせる。

大事な場面で、魔法を使える支援者や魔法の物体の力を借りることもある。デス・スターでの最後の戦いでは、ハン・ソロが予期せぬところで現れ、ルーク・スカイウォーカーを援助する。物語の最初のほうに出てきた物体が、ここで主人公の成功に大きな力を与えることである。ドロシーをカンザスへ運んでくれるルビーの靴のように。

27　**認知**――「君だってことは最初からわかってたよ！」

主人公が課題をクリアする、または、誰かが主人公が敵対者を倒したことを証明するしるしや記念品を見つけることにより、主人公の正体が認知される。

〈ＨＪ〉で対応するステージ↓〈復活〉〈宝を持っての帰還〉

この場面は、人の深層にある願いを満たすためのものとも考えられる。人は誰しも、本当の自分を認められ、受け入れられたいと感じている。世間がそう扱わなくても、人はみな特別な唯一の存在であり、ときにはそれを認めてもらいたいものだ。

物語作家は太古から、認められることがキャラクターにも観客にも強力な感情の解放になることを知っている。認知はギリシャやローマの物語や戯曲に見られる標準的な特色であり、幼いころの恋人が何年も遠くに離れたり、海賊に誘拐されたり、奴隷にされたりしていても、最後にはおたがいを見分けて一緒になる。昔のテレビ番組『ディス・イズ・ユア・ライフ』形式の、情に訴える確実な手だ。この番組では、有名人のゲストがスタジオにやってきて、自分の人生を振り返り、サプライズを与えられる。クライマックスになると、見えないところから声が聞こえてくる。ゲストは声の主を当てなければならない。まずたいていは、ゲストが何年も会っていなかった過去の知人、あるいはキャリア初期の知り合いだ。遠い昔に知っていた誰かを見分けたとき、その衝撃が古い記憶をよみがえらせ、ゲストも見ている側も涙せずにはいられない。

認知の場面には、根源的な感情の解放がある。主人公は変装を脱ぎ捨て、本当の姿を現す。心理学的に見れば、アイデンティティの古い仮面、幻想、防御が捨てられ、本物の自己が輝く瞬間である。

28 **正体露見**――「あいつには何かうさんくさいところがあると最初から思っていましたよ」

敵対者が課題を達成することに失敗する、もしくは別の形で詐欺師だということがばれる。

〈HJ〉で対応するステージ↓〈復活〉

前の機能とは反対に、ここでは敵対者の本当の性質が明らかになる。主人公にとっては、自分の成功に対する最後の脅威を解消できた肯定的な瞬間だ。物語の最初のほうで敵対者の悪い性質がすでに明らかになっていれば、この露見は必要ないこともあるが、敵対者の武装が解かれ、その支持者からも阻まれたり見捨てられたりすることにより、敵対者は力を失う。

29　**変身**――「あなたは立派になった！」

主人公は新しい自分の姿を獲得する。魔法によって変身したり、新しい地位を象徴するような衣服を与えられたりする。

〈HJ〉で対応するステージ↓〈宝を持っての帰還〉

[変身]は心の変化を外にも示す。超越的な体験をした聖人は、光輪を獲得する。死ぬ寸

前の体験や困難な試練に出会った普通の人間は、歩きかたや話しかたまで変わる。視覚媒体としての映画では、ラスト近くのキャラクターの変貌ぶりを、行動の変化だけでなく、衣装や光の加減を変えて表現することが多い。

### 30 **処罰**——「ちくしょう、またしくじったか！」

（第二の）敵対者が姫君や父王によって罰を受ける。

〈ＨＪ〉で対応するステージ↓〈宝を持っての帰還〉

徹底的に打ちのめされ辱めを受けた敵対者にとってはよけいな仕打ちになるだろうが、おとぎ話の厳格な裁きは罰を求める。敵対者は、悪事を阻まれ、力を奪われ、詐欺師としてさらされるだけでは済まされない。物語に登場する権力者、姫君や父王から正式な判決を受けなければならない（法廷もののスリラーの締めくくりに出てくる判決シーンも同じだ）。

敵対者はその場で処刑されたり、名誉を剝奪（はくだつ）されたり、王国を追われたりする。

映画ではしばしば死んだと思われた敵対者が生き返ることがあるので、疑り深い観客が本当に敵対者が倒されたと納得するまでは、きちんと叩き潰す必要があるだろう。

**31 結婚**――「ほら、花嫁が来た」「二人は末永く幸せに暮らしましたとさ」

主人公が姫君と結婚する、もしくは、王国全土または半分を与えられる。

〈HJ〉で対応するステージ↓〈宝を持っての帰還〉

一連の神話をずっとたどっていけば、ほとんどは悲劇に終わるのがわかると思うが、おとぎ話とハリウッド映画はハッピーエンドが得意だ。結婚はひとつの物語を締めくくるのに便利な手法であり、新しい物語の始まりも示せる。完璧で幸福な家族の破綻（［留守］）によって動きだした、息つく間もない物語がようやく落ちつくのだ。

多くの物語は、結婚に相当するもの、たとえば新しい連帯や契約の同意などで終わる。「ルイ、これがおれたちの美しい友情の始まりらしいな」と、『カサブランカ』のラストでボガートがクロード・レインズに言うように。あるいは、相容れない個性を持つ二つの陣営に平和が訪れたり、対立していた二つの考えやライフスタイルが和解する場合もある。

結婚相手となる姫君が存在しないおとぎ話もあり、その場合、主人公は王国を手に入れたり、王から感謝のしるしとして国を半分分けてもらったりする。結婚も、王位継承の獲得も、新しい物語の幕開けや、おとぎ話が求めてきた完全なるものが復活したことを象徴する。

**結論**

プロップが扱ったのは、限られたおとぎ話のサンプルに見つかったものだけだ。ありうる物語機能をすべて列挙しているわけではないが、自分が見つけた行動の種類に当てはまらない要素については、〝X〟と名づけて別に分類している。

物語によく見られる一般的な行動や機能は、ほかにも以下のようなものが考えられる。

- **願いをかなえる**
- **交渉する、取引をおこなう**
- **死の床での約束を果たす**
- **裏切る**
- **恋をする、または仲間となる相手と出会う**
- **虚勢を張る**

- **アイデアを思いつく**
- **子どもを持つ**
- **戯れにいちゃつく**
- **復讐する**
- **敬意を得る、または失う**

物語作家は直観的に語りの手法を知っているものだが、それをプロップのように体系的に考え、現代の物語機能のリストを自分で作ってみるのも悪くないアイデアだと思う。

実験してみよう。ブレインストーミングをおこない、自分が思いつくかぎりの一般的な物語の機能を書きだしていってみよう。『スター・ウォーズ』を見たり、ドラマ『グリー』のエピソードを見たり、ハリー・ポッターの小説を読んだりして、各場面がどう機能しているか考えてみよう。プロップの31機能のどれかだろうか？　それとも自分がリストに書いた機能だろうか？　この機能はこの物語独自のものだろうか、それとも別の物語にも似た機能は存在しているだろうか？

プロップの研究には遊びに使える要素もある。『昔話の形態学』の英訳が出てまもなく、研究者がこの31機能を使い、コンピューターでおとぎ話創作ができるプログラムを組んだ。

このプログラムは、ただプロップの31機能の一覧から、物語に使いたい機能を選ぶというだけのものだ。そうするだけでストックしてあるフレーズが出てきて、自分のための新しいおとぎ話ができあがる。私も試したことがあるが、機能を選んだりはずしたりするだけで、さまざまな劇的場面や詩的な演出効果が生まれ、とても驚いたものだ。

試しに、ネガティブな機能や主人公に危害を加える機能ばかりを選び、さらに主人公の勝利をなくしてみたことがある。できあがったのは、恐ろしいイメージ満載の、ぞっとするようなゴシック調のおとぎ話で、スティーブン・キングが誇大妄想に陥って書いたとしか思えないような物語だった。反対に、主人公にとってポジティブな出来事だけを選んでみたところ、今度は蝶や太陽の光にあふれた、甘ったるいビクトリア調のおとぎ話ができあがった。物語を生みだすだけでも楽しいし、各機能を加えたりはずしたりして、物語の感情部分がどう変わるかを見るのも勉強になった。

自分でも同じように、プロップの各機能に相当する短い文章を書いてみてもいいだろう。おもしろくしたければ、各機能につき二つか三つのバリエーションで文章を書くといい。そのあとでプロップのリストから機能を選び、それに対応する自分の文章がどうつながっておとぎ話になるのかを見てみるといい。

プロップの機能システムは完璧ではないし、現代の読者や観客向けの物語を書くライターにとっては、すべての可能性を網羅しているとは言えないが、物語の機能要素に名前をつけるという体系的アプローチの初歩と見なすことはできる。おとぎ話の内面的な機能に多くの光を投げかけてくれるもので、おとぎ話を研究したり、おとぎ話の風味を現代の物語に持ち込んでみたい人々にとっては、有益な覚書となる。プロップの機能リストは、物語の在庫を増やすのに大いに役だち、古い物語のなかでいまだに生きつづける力への認識を深めるきっかけにもなってくれる。プロップの研究を基盤にして、自分の作品で使う物語の動きを探し集め、さらに新しいものを生みだす工夫をしてみよう。

## マッケナからひと言

本当のことを言おう。欲ばりなクリスは、これまでずっと、ミスター・プロップの話を自分の胸にしまっていた。つまり、読者の皆さんと同様、僕もたったいま初めて、この研究に関するクリスの論説を聞いたというわけだ。

もうひとつ白状する。クリスの意見を消化したいま、僕はこれを自分の講義や演劇作品に徹底的に生かしてやろうと思っている。どうせ盗むのなら、最高のものを盗むに越したことはないからだ。

# 第14章 プロップのキャラクター

ボグラー

各種機能が実際にどうおとぎ話のプロットを進めていくかというプロップの研究を見ていくうちに、私はキャラクターの原型に対する新たな見解を持つようになった。それまでの私は、ひとつの原型を持ったキャラクターは、物語全体にわたりその原型を演じていくものだという単純な考えしか持っていなかった——賢者はどこまでも賢者であり、主人公は主人公、敵は敵というふうに。しかしプロップは、原型の機能や役割は一時的かつ一過性のもので、物語の必要に応じ、ひとつの機能を別のキャラクターが演じることもあるということを、私に教えてくれた。

機能が特定のキャラクターに〝固定〟される必要はない。プロットを進めるのに必要なら、機能は仮面か帽子のように、キャラクターたちが交替で身につけることができるのだ。そう考えれば、キャラクターの創造はずっと自由なものになる。物語中の人物を一個人として完成した複雑な人間として自由に描き、その人物がみずから引きうけたりほかの誰かに与えられたりした神話的な役割（〝原型〟）を、必要に応じて演じさせていけばいい。それでも〈原型〉は、人の根源的な感情をかきたてる役目をきちんと果たしてくれる。しかももっと現実味のあるスタイルで。

プロップはキャラクターの機能分析もおこなっている。おとぎ話に不可欠な、七つないし八つの有意義な行動や人物を特定している。プロップのキャラクターの定義は、そのキャラクターが何をしたか、プロットにおいてどんな機能を演じたかによって決められている。プロップの考えるキャラクターとは、われわれが考えるような多面的な個人ではなく、複数の人々によって演じられる機能であり、この機能が物語に必要な展開を推進していく。

　プロップは、キャラクターもロシア・フォルマリズムの目で分析し、主に機能との関連で見ている。プロップの理論においては、誰が行動を起こすかではなく、どんな行動を起こすかが重視されている。プロップは、各タイプのキャラクターが不自然さなく演じられる典型的ないくつかの機能、すなわち〝行動領域〟というものをキャラクターに割り当て、どんな行動をとるかによるキャラクター定義をおこなっている。

①　敵対者は悪い行動をとる者と定義され、主人公を騙(だま)したり、主人公と闘う（〈ヒーローズ・ジャーニー（ＨＪ）〉では〈影〉〈敵〉〈障害〉）。

②　贈与者の機能は、主人公に準備をさせたり、魔法の物体を与えたりすること（〈ＨＪ〉では〈賢者〉）。

③　支援者は魔力を持っていることがあり、主人公の冒険を助けたり導いたりする（〈ＨＪ〉では〈仲間〉）。空飛ぶじゅうたんのような魔法の物体や、姿を消す魔力なども同じように支援者の役割を演じる。贈与者の機能を演じるキャラクターが支援者の機能を持つこともある。

④　姫君は、誘拐される、幽閉される、魔法をかけられるなどして、主人公の救出を必要とする（〈ＨＪ〉では〈変身する者〉）。姫君（もしくは父王）は主人公に困難な課題を与え、偽の主張者を見つけだす。姫君は主人公と結婚し、王は主人公に王国の全土を与えるか、王国の支配権の一部を与える。プロップは姫君と父王の機能は明確には区別できないとして、両者をひとつの〝キャラクター〟として扱っている。

⑤　派遣者は、欠如しているものを知らせ、主人公を冒険に送りだす（〈ＨＪ〉では〈使者〉）。贈与者も派遣者の機能を演じることがあるが、別個の人物に分けられている場合もある。

⑥　主人公には複数の機能がある。命令を破る、敵対者に騙されて相手を助けてしまう、

贈与者に応じる、敵対者と闘って倒す、困難な課題をやりとげる、姫君と結婚する、など。

⑦　偽の主張者または第二の敵対者〈HJ〉では〈影〉は、主人公の行動を自分の功績と主張し、姫君と結婚しようとするが、悪事がばれて罰を受ける。

またプロップは、必要に応じて情報を交換するためだけに存在するキャラクターを、総称して〝つなぎ〟としている。〝不平を言う者、情報を漏らす者、中傷する者〟など、問題の発生を主人公に知らせたり、主人公の情報を敵対者に知らせたりする人々だ。

プロップは、誰が行動するかには興味がない――ある物語では姫君がおこなったことが、別の話では王、また別の話では魔女の役目だったりと、役割はおとぎ話ごとに変化するからだ。プロップの興味の対象は行動そのものだ。プロップは言葉の動詞に注目したが、これは映画の脚本家やライターも見習ってみるといいと思う。動詞は行動を呼ぶ。強く簡潔で、機能的な動詞はいい文章を生む。プロップのように、その人物が何をするかによってキャラクターを定義してみると、執筆のよりどころが見つかり、行動にフォーカスするための助けとなるはずだ。

# 第15章　環境的事実——概論

マッケナ

## 環境的事実

クリスは長年にわたって物語の12ステージを紹介してきた。演出家、ストーリー・アナリスト、脚本の診断者、話好き、そして教師である僕にとっても、これは実に価値あるツールだ。書きかけのストーリーに突破口がほしいとき、この診断ツールを使うと、たいていは自分に問いかけるべき刺激的な疑問に行きつくことができる。

だが、僕がいつでも使えるツールは、これひとつだけではない。物語の問題点に別の角度から対処するための、もうひとつのツールを宣伝させてもらおうと思う。演出家としての僕の恩師、テキサス大学のフランシス・ホッジ教授に教わったものだ。

このツールを、〝環境的事実〟と呼ぶことにする。

ホッジ教授は厳しい先生だが、一度でも自分の能力を示せれば、僕のような生徒でも、有能な演出家と認めてくれる人だ。教授のクラスで僕が役者のキャスティングや場面の演出をやらせてもらえるようになるまでには、うんざりするほどの〝演出家の準備〟を教授からやらされたものだ。

ホッジ教授は、僕に自作の台本をさんざん読み返させ、そこにある秘密を掘りださせようとした。僕はまるで探偵のように、ひたすらストーリーを掘り進んだ。教授は、僕の無知で軽はずみな物言いをあざけったりしながらも、本格的な舞台製作を始める前に見つけておくべき疑問点を見つけさせようと、僕を叱咤激励(しったげきれい)してくれた。

ホッジの手法は、一見すると単純だ。いくつかの〝環境的事実〟について、まとめ文を書かせるのだ。〝環境的事実〟とは、日付、場所、社会的環境、宗教的環境、政治的環境、経済的環境のことである。

ひとつにまとめた全体像ではなく、各環境的事実について個々の短文を書く、というところが重要な点だ。たくさんの短文を書くのは非生産的な作業にも思えるが、さまざまな短文を細かく比較対照すると、くり返し出てくる要素がはっきり見えてくるのだ。このくり返される要素に注目すると、自分が探しているストーリーテリングの金塊、つまり、おのれに問いかけるべき隠れた疑問点が見えてくるのだ。

単調な作業で、僕もよくいらいらした。しかし、この作業に耐えた結果、しだいに自分のやっていることが正確に理解できるようになった。想像していた以上に、芝居を表現する力を身につけられたのだ。

## 発見したこと

ホッジにやらされたこの作業によって、僕は芝居の台本や映画の脚本の基本を学んだ。ライターは、作劇上のすべての出来事を、三次元的に想像するものだということがわかってきた。そこから芸術性や技巧を駆使して、三次元的な体験を二次元の平面に移しかえる——それが脚本だ。

これには巧妙な技がいる。第三次元、つまり立体性は、ライターがそれについての効果的な手がかりを脚本にうまく埋め込まなければ、失われてしまうからだ。

この手がかりをどこで見つければいいだろう？　これをそれとなく隠しているのが、〝環境的事実〟なのだ。脚本を舞台で具現化しつつ、この第三次元を見つけだし、理解し、よみがえらせるのは、解釈をおこなう芸術家（役者、演出家、美術監督）の技能にかかっている。

脚本を深いところまで分析させることで、ホッジは僕をストーリーの探偵に育てあげた。ストーリーから手がかりを読みとり、的確に結論を引きだせるようにしてくれた。

僕が探したものはどんなものだったか？　まず、たくさんのキャラクターの〝求めるもの〟を吟味して、キャラクターが直面する障害を見つけださないことには、うまくいかないことはわかっていた。芝居のなかでどんな両極対立が起きているかを知るために、各シーンの〝相互アクション〟を検討すればいいことも知っていた。それを助けてくれるツールは何か？　ここでこそログ・ラインやシノプシスの出番だ。ホッジは僕に確約した。もし僕が、自分の書いた〝環境的事実〟のまとめや、〝求めるもの〟〝相互アクション〟〝両極対立〟の調査から手がかりを見つけだし、正しく解釈できれば、ライターが最初にイメージしていた特別な三次元の世界に入ることができ、その世界を理解できるはずだと。二次元の脚本をそのままの形で、魅惑的な生き生きしたパフォーマンスに変えることができるはずだ、と。

## 双方向の働き

その後、僕はさらに驚くべきことに気づいた。〝環境的事実〟のツールは、双方向に役にたつのだ！

このツールを使いこなせるようになれば、僕の能力は演出家の領域のみにとどまらなくなる。クリエイターの側にもなれる。ライターにだってなれる。自分のストーリーの第三次元の手がかりを、ほかのストーリー探偵にも見つけだせるような埋め込み方法がわかるようになるからだ。

それで劇作家や映画脚本家になれたか？　もちろんなれた。少なくともこのツールがあれば、友人たちをもっとおもしろいジョークで楽しませられるし、子どもを寝かせるときにも、子どもがさらに夢中になるような物語を聞かせてやれるようになった。

## 新たな視点

ホッジの詳細分析のツールで、僕には新しい視界がひらけた。僕には演劇的な物語が手がかり探しのゲームと思えるようになった。演出家や役者や美術監督は、ライターの二次元の脚本に隠れた手がかりを追求しなければならないと、ホッジは僕にたえず言い聞かせていた。だが、まもなく僕は、観客もまた探偵なのだということに気づいた。人は物語を読んだり映画や芝居を観たりしながら、そこで何が起きているのか、次に何が起きるのかを推測しようとする。この手がかり探しゲームを理解している物語作家こそ、特別な魅力のある作品を提供できるのだ。

刺激的な手がかりを使うことで、相手が物語の分析家であれ、一般の観客であれ、観る側を物語に没頭させ、物語によって心の変化を生みだすこともできる。

ホッジの骨の折れる課題は、僕を変えた。演出を始めたばかりのころの僕は、ただほかの演出家の仕事を真似ていただけだった。ホッジのもとで学んでからは、脚本のみならず世界全体に対しても、意義ある疑問を提示する方法を身につけた。それ以来、物事を額面どおり受けとることも、考えなしの衝動で動くこともなくなった。

## 次の挑戦者へ

僕はホッジ教授の立場をしばらく借用し、読者の皆さんにも教授の課題に挑戦してもらおうと思う。次章から、〝演出家の準備〟トレーニングと〝環境的事実〟について述べていく。読者の皆さんにも、生産的な疑問を考えだしてもらおうと思っている。

それが済めば、このツールを自分のものにでき、好きなように使える。作業はたいへんかもしれないが、やる価値があることは保証する。

## 考えてみよう

〝環境的事実〟ツールを動かしていくために、一緒に脚本をひとつ検証していこうと思う。次の章から、カレン・マックラー・ラッツとキルステン・スミスの『キューティ・ブロンド』の脚本を使い、そこに与えられた環境や隠された手がかりについて調べていこう。

できればざっと脚本に目を通し（インターネット上でも手に入る【訳注：ただし、英語版のみ】）、好奇心を全開にしておくといい。〈ヒーローズ・ジャーニー〉の12ステージを念頭に置きつつ、ログ・ラインやシノプシスを作るところから始めてみよう。

## ボグラーからひと言

ふう。ここまでたどりつけるとは思わなかった。

私は長年デイビッドをせっついて、この〝演出家の準備〟トレーニングのことを書かせようとしてきた。デイビッドのツールキットにはほかにもまだこうしたテクニックがあるが、ひとまずこれを吐きださせただけでもよしとすべきだろう。デイビッドは、世界、歴史、政治、社会学に対し、一貫した広い視野を持っているし、〝環境的事実〟は、何ごとにも多角的なアプローチを試みるデイビッドの性質をよくあらわしたツールだと思う。

# 第16章　環境的事実（1）——日付

マッケナ

ホッジの〝環境的事実〟について、最初のものからさっそく取りかかっていこう。まずは日付だ。

〝日付〟とは、簡単に言えば、物語が動きだすときの、日、月、年、季節、世紀、時代などのことだ。わかりきったことと思われるかもしれないが、そこにはさまざまなニュアンスがある。自分の〝日付〟について適切な疑問を見つけだせる物語作家は、意外な細かい表現ができ、そこにキャラクターや観客を巻き込むことができる。

特定の日付の概念について、少し考えてみることにしよう。定職に就いている人間なら、月曜は単調で嫌な日で、水曜は〝ひとがんばりの日〟で、そのあと〝待ちかねた金曜日（特に給料日ならなおさら）〟がやってくることを知っている。各曜日がそれぞれの性質を持ち、人の行動にも影響する。

季節はどうだろう？　僕はあまり冬が好きではないので、一月には早く野球選手が春のトレーニングに入らないかと待ち焦がれる。二月がやってくると、もうすぐいい季節になる、と、僕の気分も上がってくる。クリスマスにサンタクロースを撃ったり、大みそかのシャンパンに毒を盛ったりする悪者の話を書いたことはないだろうか？　恋愛中のカップルは、バレンタイン・デイにどんな気持ちを抱くだろう？　映画『すてきな片想い』は、忘れられた誕生日の物語だ。

時刻はどうだろう？　個人の安全観念からすると、僕の住むマンハッタンは、午後二時と午前二時では、まるっきり違う場所だ。トランシルバニアの人々は、陽が落ちるとドラキュラを怖がりはじめる。夜明けとともに目を覚まして活発に動きだす小鳥と、暗くなってからしか活動しないフクロウは、まったく違った生き物に思える。九時～五時の労働時間帯で働く人々は、夜勤労働者や一日中眠っている人々に、漠然とした嫌な感じを持っていないだろうか？

〝日付〟が暗示するものは、書き手の想像力を大きく広げてくれる。学校の初日はどんな気分だろう？　卒業の日は？　結婚式の日は？　納税日には、書類はきちんと揃えておいたほうがいい。

世の中に対する人の認識は、一四九二年以前と以後とでは大きく違う【訳注：一四九二年はコロンブスの新大陸発見の年】。一七七六年【訳注：米国独立の年】の前とあとではどうだろう？　一九六〇年代に公民権運動が起きる前とあととでは？

一七八五年に金持ちのパリジャンとして生活する趣味のいい人物なら、王愛用の凝ったハイヒールや、立派なかつらで着飾っていたことだろう。もし良識というものがあるなら、その六年後にはそれまでのファッションを捨て、ギロチンに狂喜する革命の暴徒たちに取り入ろうとしただろう。こうした変化は、実質的には日付の変化によって生じているのだ。一世紀のローマでは、キリスト教徒はライオンに食われる運命だった。二、三世紀たつと、彼らはそこを逃げだした。

アメリカ人なら誰でも、〝九・一一〟の重要性は知っている。すべては〝日付〟の話であり、優れた物語作家は、〝日付〟という〝事実〟の活用法を知っている。

例をあげよう。古典的名作映画、『我等の生涯の最良の年』(ロバート・シャーウッド脚本)は、この〝日付〟に動かされている作品だ。第二次世界大戦直後の何か月かにわたり、三人の退役米国軍人が通常の生活に戻る姿を描いた作品だ。三人の軍人のうちのひとりは、戦時中は爆撃機の花形パイロットで、高い報酬で空を飛びまわっていた。もうひとりは歩兵の軍曹で、ヨーロッパに進軍してナチスとの白兵戦に明け暮れた。残るひとりは海軍の機関准尉で、優れた技術を持っていたが、海戦で両手を吹き飛ばされていた。

彼らの素性は、戦争によって定められたものだ。しかし、時の流れがそれを変え、主人公たちは新たな役割に挑まなければならなくなる。家に戻ったパイロットは、短い訓練だけで手に入れた花形パイロットの肩書の魔力も、文字どおり期限切れになったことに気づく。ソーダ水売場での退屈な仕事に就いたパイロットは、だんだんアイデンティティを見失っていく。熱血軍曹は一家の家長として銀行の事務職に戻る。銀行はそれなりの地位を与えてくれたものの、戦時中の冒険の刺激はそこにはほとんどない。准尉も傷ついた英雄のままではいられない。かつては敬意を払われた負傷兵も、国内に戻れば〝役たたず〟と見なされ、准尉をいらだたせる。

人の心に触れる作品であり、日付の変化によって感情を高めている好例と言える。

ニール・ジョーダンの一九八六年の映画『モナリザ』（デイビッド・リーランド脚本）も日付の物語だ。ボブ・ホスキンス演じるイギリス人のギャングは、ボスの身代わりで刑務所入りする。出所したいま、彼の献身は報いられるはずだった。だが、〝日付〟が状況を変えていた。旧式のギャングたちは、より大きな企業的利益を求めるようになり、ホスキンスの演じるギャングの用心棒の腕前は、もはや価値を持たなくなっていた。組織内で昇進させてもらうかわりに、彼は企業的階層社会の底辺に置かれ、そこからドラマが始まっていく。

日付が混乱することもある。ロバート・ゼメキスとボブ・ゲイルの脚本による、『バック・トゥ・ザ・フューチャー』のマーティ・マクフライにとってはそうだ。日常の時間から放りだされたマーティは、自分は「クリント・イーストウッド」だと堂々と名乗ったり、魅力的なティーンエージャーの女の子（実は自分の母親）とセクシーな関係に陥らないよう立ちまわったりする。

こんなふうに、日付はまったく新しい世界やアイデンティティを与え、キャラクター間の新たな利害対立を生みだすものなのだ。

曜日にも人への影響力があると先ほど述べたが、ニック・コーン原作、ノーマン・ウェクスラー脚本の『サタデー・ナイト・フィーバー』はまさにその例だ。平日のトニーはペンキ屋で働いている。だが、土曜の夜になると、ディスコのダンスフロアでキングとなる。『バットマン』では、時刻が重要なファクターとなる。陽が出ているあいだのバットマンは、裕福な慈善家のブルース・ウェインだ。が、夜の帳（とばり）がおり、悪者たちが暗躍しはじめると、主人公はマントをまとった戦士となるのだ。

賢明な物語作家は、時間枠をいいかげんに選んだりはしない。〝いつ〟という疑問を持つことが、独自性を生みだす微妙な陰影を提供してくれる。

〝日付〟に関する話をもう少し続けよう。物語の内部構造を活性化させるために、不可欠な疑問がもうひとつある。〝なぜこの日であってほかの日ではないのか？〟という問題だ。

主要キャラクターにとっては非日常的な、ある特定の事件が起きると、それがしばしばほかの出来事を次々と引きおこし、それによってドラマの特別な領域が形成されることになるので、日付をどう決めるかは本質的な問題なのだ。発端の事件がいつ起きるかによって、すべてが変わってしまいかねない。

たとえば『お熱いのがお好き』で、ミュージシャンのジョーとジェリーが〝ジョセフィン〟と〝ダフニ〟に変装するのは、〝聖バレンタイン・デイの虐殺〟を目撃してしまったからだ。サメが大海を泳ぐだけでは何も起きないが、独立記念日に海沿いの町を襲ってくるとなれば話はまったく違う

『サタデー・ナイト・フィーバー』のトニーは退屈な仕事をしているが、週末になるとキングに変身する。

（『ジョーズ』のサメ、ブルースのように）。『大統領の陰謀』で、有望な若手記者だったウッドワードとバーンスタインが、一気にトップクラスの取材記者の地位までのぼりつめたのは、たまたまウォーターゲート事件に出会ったからだ。アポロ・クリードが挑戦者を求めなければ、ロッキーは無名のボクサーで終わったろう。エリオット少年も、偶然近所にE.T.がやってこなければ、ただの平凡な子どもだったはずだ。『ノーカントリー』のベル保安官は、自分が祖先の保安官たちと肩を並べられるかどうかわからずにいたが、それも怪物のような殺し屋のシガーが、ベルにその答えを悟らせる恐ろしいチャンスを与えるまでの話だ。

こうしたキャラクターたちは、普段とは違うある特定の日に、たまたまそこにいたせいで主人公になり、競技場に押しだされた人々だ。彼らにとって、それまでの人生とはなんだったのだろう？　その日に発端となる出来事が起きたせいで、人生はがらりと変わってしまう。

自分が書く、もしくは、自分が目にするどんな物語も、ある特定の時間から始まる（〝日付〟があいまいにしか示されていないとしても）。この〝事実〟を探れば必ず役にたつ。無視してしまうのはあまりにもったいない。

## 考えてみよう

1　〝環境的事実〟についての章では、カレン・マックラー・ラッツとキルステン・スミスの脚本『キューティ・ブロンド』を題材として使っていく。まずは〝日付の環境的事実〟について、まとめを書いてみよう。

じっくりと考え、二つの重要な場所（ロサンゼルスとケンブリッジ）の歴史上の重要な日付なども調べてみよう。そして、基本的な疑問、〝なぜほかの日でなくこの日だったのか？〟を考えてみよう。

2　歴史的な日付は、『カサブランカ』にどんな影響を与えているだろうか？　一九四二年という年について少し調べてみれば、この作品は、人々の人生が芸術に大きな影響を及ぼしているケースだということがわかるはずだ。

3　『理由なき反抗』や『乱暴者』があれほどのセンセーションを巻きおこした五〇年代とは、どんな時代だったのか？　この日付が変わっても、状況は変わらなかったのか？

4　『スカーフェイス』はなぜ〝ほかの日でなくこの日〟だったのだろう？　『博士の異常な愛情』は？　『ハート・オブ・ウーマン』は？　『シザーハンズ』は？

## ボグラーからひと言

ブラボー。異論の余地なしだ。

私もつねにライターたちに対しては、特定の日付や時刻、とりわけ一年のどの季節の話かということをはっきりさせるように言ってきた。日付が物語の支柱となり、時間のサイクルの基盤となるからだ。

ラッセル・クロウが主演したリドリー・スコット版の『ロビン・フッド』には秋の収穫祭の情景が出てきて、冬をしのぐのに充分な蓄えができたことを祝い、地域の共同体がひとつにまとまる姿がうまく描写されていた。私は歴史描写の正確性にはうるさく、少なくとも本物らしく見えることを期待するたちだが、歴史物の文脈を多少でも意識して採り入れてくれたライターに感心した。

ピーター・ウィアー監督の『マスター・アンド・コマンダー』に登場するマチュリン軍医の無頓着（むとんちゃく）な衛生学を見ていると、病原菌を気にする現代人はぞっとするが、十八世紀の描写としては、あれがまったく自然なのだ。

# 第17章　環境的事実（2）——場所

マッケナ

不動産の最も重要な三つの要素を伝える古い格言がある。「場所、場所、場所」。これは物語作家にとっても真実だ。

〝場所〟とは、物語の動きが起きる正確な場所のことだ。正確さがものを言う。舞台をリオデジャネイロに設定したとしても、美しいイパネマ海岸を選ぶか、地獄のようなシダデ・デ・デウスのゲットーを選ぶかで、話はまったく違ってくる。フランス映画の『愛と宿命の泉』は、隣りあわせた二軒の農家の物語だが、片方が水源を持ち、もう片方にはない。そのわずか何メートルかの差が、悲劇を引きおこす話の核心となる。

『カサブランカ』の話の核心は、自分を捨てた女性を悩ませる男だ。実のところ、そこは大した問題ではなく、この小さな争いごとを盛りあげるのは、舞台となった場所（第二次世界大戦初期の北アフリカ）が、戦時中に恐ろしい危険にさらされた世界の中心にあったからだ。物語の終わりに男と女は、「この狂った世界では、三人のちっぽけな人間の問題など取るに足らないこと」だと悟る。二流のソープオペラになりかねないアイデアが、映画史上最高傑作の一本となったのは、すべてこの場所ゆえである。

〝場所〟は、物語作家にありとあらゆる可能性を示してくれる。人は自分の生きる場所に合わせて順応しようとするものだからだ。僕はニューオーリンズが大好きで、いつもすばらしい時間を過ごしている。地元住民は奇妙なアクセントで話すが、これは、カリブ、ケージャン、そして南部の人々の文化が一緒くたになっている土地柄だからだ。何世紀にもわたる大きな港町としての歴史があり、ヨーロッパやアフリカの広い範囲から人が集まった結果、彼らの言葉の響きは〝ブルックリン訛り〟にも似た性質を持つようになった。

港町ニューオーリンズは、つねに取引の場でもある。このため当然ながら、地元民はおしゃべり好きで社交的だ。また、土地の気候が衣服や

『カサブランカ』はモロッコのナイトクラブを舞台にしてはいるが、オープニングのショットは、この場所がもっと大きな意味を含んでいるのを暗示している。

態度や習俗にどう影響するか、ここに来るとよくわかる。ニューオーリンズは一年の大半が湿っぽく、ライフスタイルはカジュアルが主流で、ニューヨークや上海(シャンハイ)ややロンドンのような気温の低い港町のフォーマルさとは一線を画している。

緯度はニューオーリンズとそう変わらないものの、西テキサスの言葉の響きや生活アプローチはまったく異なる。地形(有史以前は海だった場所が干上がってできた土地)は月面に匹敵するほど荒涼としている。人口も少なく、人々の文化も似かよっている。その結果、雑多な人の集まるフレンチ・クォーター(ニューオーリンズの歴史ある一地区)よりも、ずっと一貫した言葉のアクセントが聞かれる。

僕がその響きを初めて聞いたとき、その寡黙な〝口数少ない〟話しかたには興味をそそられた。どうしてそうなるんだろうと思っていたところ、舞台劇『グレーター・ツナ』のときからの役者仲間で、西テキサス出身のジャストン・ウィリアムズが理由を教えてくれた。ラボックやアルパインのような西テキサスの街は、しょっちゅう想像を絶する砂嵐に襲われているのだという。地元民は、口に砂が詰まる危険を冒してまで、おしゃべりになりたくはないのだ。言いたいことがあるときだけしゃべり、あとは口を結んでおくほうが得策だ。これも場所の影響というわけだ。

〝場所〟によって階級や経済的な現実を伝えることもできる。ハワード・ホークスの映画『ヨーク軍曹』（エイベム・フィンケル、ハリー・チャンドリー、ジョン・ヒューストンらによる脚本）では、アルヴィン・ヨークや農家の親類たちは、やせて岩だらけの土地しかないテネシーの山の頂上近くに住んでいて、貧困にあえいでいる。幸福な結婚を願うアルヴィンは、豊かな〝低地〟を手に入れるため、冒険に乗りだしていく。〝場所〟がアルヴィンの行動を駆りたてる要因となる。

脚本家で映画監督のタマラ・ジェンキンズは、場所のアイデアをひねりだすことで、皮肉だが的を射た映画タイトルをものにした。『ビバリーヒルズのスラム（The Slums of Beverly Hills）』【訳注：日本では『Fカップの憂うつ』の邦題でビデオが発売】だ。巨大邸宅の並ぶ街に貧民？　それで行こう。〝場所〟を使った洞察力豊かな言葉遊びで、特殊な文化衝突を描いた作品であることは容易に知れる。

〝場所〟が政治を語ることもある。『007／ロシアより愛をこめて』『寒い国から帰ったスパイ』などの背景となった冷戦の時代に、鉄のカーテンに分断された人々に聞いてみるといい。『エル・ノルテ　約束の地』でアメリカ南西部への入国を試みるグアテマラ人の兄妹も、語りたい話には事欠かないだろう。

中国人と日本人の区別がつかない欧米人は多い。だが、両国の文化は異なる場所で生まれたものであり、まったく別の二つの世界だ。映画監督のアン・リーと演出家のジェームズ・シェイマスは、〝場所〟の対立を『ラスト、コーション』で存分に描きだした。

ジョン・ジェイクス原作のテレビミニシリーズ『南北戦争物語　愛と自由への大地』では、米国の南北戦争時代の南北カロライナに住む人々が、故郷の州と故国のどちらに忠誠を尽くすかの厳しい選択を迫られる。話はそれるが、僕が故郷ニュージャージーを出てテキサスの大学に入学したとき、南部人は南北戦争のことを〝北部による侵略戦争〟と呼んでいることを初めて知った。これも〝場所〟が人の視点を決める例と言えるだろう。

〝場所〟は宗教にも影響する。ヨーロッパから来た征服者(コンキスタドール)が初めてネイティブ・アメリカンと出会ったとき、彼らは当然のことながら当惑した。ネイティブ・アメリカンはほとんど衣服らしい衣服も着ず、共同体生活を送っていた。神の思(おぼ)し召しで自分たちが生まれてきた土地から先には、ほとんど出ようともしなかった。まるでいまだにエデンの園で生きているような暮らしぶりだった。

その一方で、ヨーロッパから来た新参者には、原罪、そして幾世紀にもわたる宗教戦争によって刻まれた、まったく異なった世界観や未来観があった。哲学や現実感の違い(これもまた〝場所〟によって偶然生まれたものだ）から、ヨーロッパ人がネイティブ・アメリカンを破廉恥な野蛮人と見なしたことも、砦を固めたネイティブ（カルダー・ウィリンガム脚本の『小さな巨人』に出てくるオールド・ロッジ・スキンのような人々）がヨーロッパ中心主義の思想は狂っていると感じたことも、当然の帰結と言えよう。

〝陸にあがった魚〟、つまり、なじみの場所から不可解な未知の場所へ行くキャラクターが登場する作品は非常に多い。『リトル・マーメイド』や『スプラッシュ』は、まさにその名にたがわぬ物語だ。〝ホーム・アドバンテージ〟というスポーツ用語があるが、これも〝陸にあがった魚〟の本質を言いあらわしている。自分の物語において〝優位〟な立場にいるのは誰か考えてみるのもいい。

〝魚〟にされたキャラクターに、『ロマンシング・ストーン　秘宝の谷』のヒロイン、ジョーン・ワイルダーがあげられる。ジョーンはロマンス小説の人気作家だ。しかし、猫だけと一緒に暮らすニューヨークのアパートメントは寂しく、このままではひとりぼっちの老後が待ち受けているだけだろう。幸いジョーンのもとに冒険の誘いが届き、コロンビアのジャングルですばらしい宝と夢見た男性を見つける。とはいえ、最初のうちはなじみのないことばかりで、ジョーン以外の全員が彼女より優位な立場にいる。

ジョーンは不利な立場を克服し、新しい場所になじめただろうか？　ネタバレはやめておくが、クライマックスの場所が〝心（エル・コラソン）〟と呼ばれる洞穴なのは意味深だ。脚本家のダイアン・トーマスは、恋に悩むロマンス作家のジョーンが、〝心（ザ・ハート）〟へと旅をして、ハートの問題（ハート・オブ・ザ・マター）の核心部（ハート・オブ・ザ・マター）分をつかまなければならないことをほのめかしている。

　この〝場所〟の観念をもう少しいじってみよう。今度は、新しい環境のほうが〝魚〟のもとを訪れる場合について考えてみよう。たとえば、『マディソン郡の橋』のフランチェスカは、農家の妻としてアイオワで暮らしている。しかし、彼女は戦争花嫁となったイタリア人で、その魂には音楽が息づいている。家族の平穏のため、ロマンスへの渇望を押し殺し、自分の住む小さな池のような世界を受け入れている。

　フランチェスカはデリケートな感情のバランスを保たせているが、それも家族が一週間出かけたときに崩れてしまう。たくましい放浪者のロバートが、片手に外の世界の水を、もう片方の手に官能的な音楽を抱え、戸口に現れる。フランチェスカは、アイオワの狭い世界、家族の喜びに尽くす世界に忠実でいられるだろうか？　それとも、ロマンスを望むイタリア女として、再び花咲こうとするだろうか？　どちらが彼女の〝ホーム〟なのだろう？　自分の本来の姿すべてを満たせる、私的な場所を築くことはできるのだろうか？

〝場所〟がスタイルやテーマを提供することもある。ジョージ・ルーカスは、カリフォルニアで過ごしたむこうみずな若い日々を、映画『アメリカン・グラフィティ』に描いた。だが、その体験を壮大な神話にするには、「遠い昔、はるか彼方の銀河系で」という、もっと大きなスケールの映画にする必要があった。『スター・ウォーズ』でルーカスが使った独自の〝場所〟は、ルーク・スカイウォーカーの通過儀礼や、彼が学んだ世界の仕組みを生き生きと描きだした。

リメイクしてみたい古いストーリーがあれば、ぜひとも〝場所〟を変え、新たなエネルギーを生みだしてほしい。脚本家兼映画監督のジョン・カーペンターが、一九七〇年代の意気盛んな若い時期にやったことも、まさにこれである。カーペンターは、ハワード・ホークスがジュールス・ファースマンとリー・ブラケットの脚本で撮った、『リオ・ブラボー』のような西部劇を撮りたがっていた。しかしカーペンターの予算は微々たるもので、ジョン・ウェインへの依頼はとても無理だ。そこで彼は、物語の舞台を現代の都市に設定しなおした。

『要塞(ようさい)警察』は、『リオ・ブラボー』をリミックスし、ホークスの古典的な西部劇をがらりと変えて、現代スリラーの構造に置き換えた。七〇年代が進むにつれ、西部劇は〝死んだ〟

と言われるようになった。しかし、たくさんの物語作家がカーペンターに追随し、都会の警官の物語によって新たな西部を開拓していった。

『セックス・アンド・ザ・シティ』は、魔法の街ニューヨークの物語だ。冒険好きの三〇代女性たちが、華やかな生活を送りつつ、パートタイムの新聞コラムニストなどをして働いている。このシリーズは終了したものの、プロデューサーたちは、まだそこに視聴者を惹きつける金塊が眠っていると考えた。ＡＢＣテレビは、若い女の子たちを『デスパレートな妻たち』に置き換えた（あるいは『セックス・アンド・ザ・サバーブ（セックスと近郊住宅地）』といったところだろうか？）。そこには同じ種類の刺激があるが、舞台が変われば意味も変わる。

考えかたはわかったと思う。〝場所〟について自分の物語に問いかけていけば、もっと豊かな作品になるはずだ。

## 考えてみよう

1　また『キューティ・ブロンド』についてのまとめを作ってみよう。今回は〝場所〟だ。この話にはロサンゼルスからケンブリッジへの移動という明白な動きがあるが、教室、寮の部屋、女子社交クラブの会館、美容室、刑務所、法廷、法律事務所などの場所についても、意味をじっくり考えてみてほしい。

2　書きかけの作品があれば、最初のページを見なおしてみよう。〝場所〟についてできるかぎり示せているだろうか？　〝場所〟をもっと生き生きと描いたり、物語のキャラクターに〝場所〟の影響を与えるには、何をすればいいだろう？

## ボグラーからひと言

デイビッドが〝場所〟の効果的な活用例として、『ロマンシング・ストーン』を引き合いに出しているが、この映画に対する私たちの意見は、実は最初は割れた。デイビッドは即座に気に入った。私は、あまりに調子のいい、漫画的なところが好きになれなかった。

本当のところ、私は脚本家のダイアン・トーマスが一夜にして成功をおさめたことに嫉妬を感じていて、それが私の判断を曇らせたのではないかという気もする。あとから観てみると、実にうまくできた脚本で、いたるところにうまい描写が見られる。〝場所〟も効果的に生かしていて、エキサイティングなアクションシーンや、主人公の成長の象徴的な描写にも成功している。ヒロインの住むニューヨークの〈日常世界〉と、コロンビアのエキゾティックな〈特別な世界〉とのコントラストが特にあざやかだ。

# 第18章　環境的事実(3)——社会的環境

マッケナ

ここから四つの〝環境的事実〟の章（第18〜21章）で述べるのは、手法の巧妙さや、表現のチャンスを得られる領域を図式化していく作業についてである。条件や概念につかみどころがない領域なので、巧妙な技を磨く訓練ができる。広範囲にわたるあらゆる情報を考慮しなければならないので、気持ちがオープンになり、さまざまなチャンスが見つかる。〝環境的事実〟をまとめることは、ひとつの〝正しい解答〟を見つける作業ではない。ここで探りたいのは、物語設計全体に織り込める情報の糸だ。見えないままになっている、問いかけるべき疑問を探すことがまとめの目的だ。

ここしばらくは、〝マクロ〟の視点で、人間社会の基盤となっている社会的環境について考えてみよう。有史以前のわれわれの先祖は、たえず危険にさらされ、過酷な気候に耐え、残忍な敵に向きあってきた。食料、水、避難場所、そして（何よりも重要な）防護となるものを確保するために、人々は社会集団となってひとつにまとまった。人間の進化とともに、社会集団の秩序も進化してきた。

こうした深い背景は、社会というものが、相互の生存のために個人が連帯した仕組みだということを示している。人はこうした連帯のなかで生き（ある程度の個人の自由をその過程であきらめ）、それなりに予測のつく一般的な行動の範囲内で動いている。暗黙のルールや義務を受け入れることで、社会集団の結束によって生まれた権利を獲得してきたのだ。

## 社会集団をひとつにまとめているものは何か？

最初に自分のことを考えてみよう。クラブに所属しているか？　教会組織のメンバーか？　政治活動グループに加わっているか？　フェイスブックの友人には誰がいるか？　携帯電話のアドレスブックには誰が登録されているか？　こうした選択の傾向は、自分の社会的な方向性をどう物語っているだろう？

特定の地理的な〝場所〟も、社会的なアイデンティティを生みだすことがある。テキサスの人々はニューイングランドの人々とずいぶん違うし、田舎で熱心に教会に通う人々の習慣は、都会の不可知論者と比べて奇妙に映ることもあるだろう。

民族性も社会をつなぐもののひとつだ。階級や資産的地位もそうだ。この三つの要素は、エディ・マーフィーとダン・エイクロイドの〝陸にあがった魚〟タイプのコメディ映画、『大逆転』のなかでも大きな影響力を持つ。

集団の安全は、社会的環境の重要な点と考えてもよさそうだ。ほかには何が重要だろう。所属メンバーにアイデンティティを提供する集団についてはどうだろう？　集団に属することでアイデンティティを求める人々もいる。自分はアイスホッケーのトロント・メープルリーフスのファンである。医学部の学生である。コンピューターおたくである。スター・トレックのマニアである。妊娠中絶反対論者、郊外の住人、オペラ愛好者が、ひとつに結束することもある。携帯電話がベライゾンかAT&Tかも、意外に重要だったりしないだろうか？　商品を宣伝する企業も、集団のアイデンティティを意識させようとしているはずだ。

特殊な機能を持つ社会集団にも目を向けてみよう。ある一家が新しい土地に引っ越すと、近所の人々や地元の教会や政治的党派のメンバーがやってきて一家を歓迎し、その地域一帯では物事がどんなふうにおこなわれているかを教えてくれたりする。同様のオリエンテーション儀式は、毎年秋に新入生を迎える大学でもおこなわれている。

軍の新人は、かなり厳しいオリエンテーションを経験させられる。厳格な規律や共通の信念は、軍がうまくやっていくための重要な鍵（かぎ）になるからだ。集団の機能が違えば社会的儀式も変わる。米国で市民権を獲得したい移民が、自分たちの受け入れ先となる国についての試験に合格しなければならないのも、同様の理由からのことだ。

## それとなく示される社会的手がかり

社会集団の一員になる手続きが、それほど明確ではない場合もある。地域社会の共同体は、さまざまな謎めいた暗黙の習俗に支配されている。挨拶（あいさつ）のしかたひとつとってもそうだ。

アメリカ社会では、男性同士は握手を交わし、女性同士は頬に軽いキスを交わすことが許されている。男同士がそんなキスをしたら、たちまち噂になったり非難の的になる。女性同士にしても、頬へのキスなら何も言われないが、唇となると（キスする場所がわずかにずれるだけだが）社会的な意味合いはまったく変わる。

こうしたことは、その集団の社会的方向性や、性的嗜好（しこう）によっても違ってくる。つまり、社会的環境を追求していくには、教育、階級、収入、知性、人種、宗教、性的嗜好、政治的傾向、年齢、民族、未婚か既婚かなど、細かい説明づけを抜け目なくやる必要がある。

こうした細部を生かし、なんらかの特徴のある集団と結びついた社会的な期待とはどんなものかを考えていかなければならない。

## 事例

この前提に立って、いくつかの事例を検討してみよう。要は、どんな社会的環境が物語を支配しているのかを見ていくということだ。

チャールズ・レデラー脚本、一九六二年版の『戦艦バウンティ』は実にわかりやすい事例で、社会的な予断の熾烈(しれつ)なぶつかり合いが描かれている。十八世紀の英国艦の艦長ブライは、タヒチ王に取り入って取引をまとめたいと思っていた。ブライは士官たちに対し、王の家来には紳士的な外交官として接するよう命じた。しかし、王の娘が下級士官のフレッチャー・クリスチャンに性的な欲望を抱いていることに気づいたブライは、警戒心を強めた。取引の失敗を避けるため、ブライはクリスチャンに、島の訪問期間は船に残るよう命令した。

理にかなった、社会的に正しい対処にも見える。だが、この判断は自分の社会的環境に応じたものであって、ブライはタヒチ独自の社会的な優先事項を見落としていた。この辺鄙(へんぴ)な島を支配する王にとって、子孫の遺伝子を選べる範囲はごく限られたものだった。つまり王は、訪問者の新しい血を入れたがっていたのだ。ブライが配慮のつもりでクリスチャンを島から遠ざけたことは、王にとっては侮辱と映り、取引の交渉はあやうく失敗に終わりかけた。ブライは自分の社会的な失策に気づき、仕方なくクリスチャンに、公式命令として、王の娘との愛の営みを許した。

　この作品はかなりあからさまな例だが、どんな物語においても、社会的環境は重要な役割を演じる。〝陸にあがった魚〟のストーリーは、社会的対立によって活気づく。『プラダを着た悪魔』は、大学を卒業したてのアンドレアが、新しい職にとどまるため、圧力の厳しいファッション業界の社会的秩序に順応しなければならない様子を描いている。『魔法にかけられて』では、ヒロインのジゼルが住んでいたおとぎ話世

イギリスでは、取引合意のしるしとして握手（ハンドシェイク）が交わされる。『戦艦バウンティ』のブライ艦長にとっては腹だたしいことに、タヒチ人は腰を振る（シェイク）ことを要求してくる。

界の社会習慣と、ニューヨーク・シティの現実とがコミカルに衝突する。「プラスティック」が魔法の言葉となり、ミセス・ロビンソンが予想外の支配力をふるう『卒業』の南カリフォルニアの上流社会では、ベンジャミンが受けた東海岸での大学教育はあまり役にたたない。

『あの頃ペニー・レインと』の旅先の社会的環境は、家でのルールとはまったく違う。旅先の新進ロックスターは、まるで名誉のバッジのように享楽的な欲望を身にまとう。売り出し中のスターのラッセルが、グルーピーのペニーのふしだらな情熱にスリルを感じるのもそのせいだ。しかし、ツアーが終われば、ラッセルは妻や家族のもとに戻らなければならず、彼の社会的環境は変化する。ペニーは見切って遠ざけるべき、じゃま者になる。『パラダイス・アーミー』で米国陸軍に入ったビル・マーレイが直面したのは、どんな暗黙の社会的制約だっただろう？　『ショーシャンクの空に』に描かれる日々の現実は、主人公のアンディがかつていた環境とどう違っていただろう？　『リトル・ミス・サンシャイン』のオリーブが、コンテストで見せたパフォーマンスがぶっ飛んでいるのは、あらゆる社会的期待を堂々と裏切ったからだ。オリーブが挑んだ期待やタブーとはなんだろう？　クリント・イーストウッド監督の『真夜中のサバナ』に登場する主人公のジャーナリストは、自分が訪れたジョージアの社会を「幻覚剤漬けの『風と共に去りぬ』みたい」と評する。どんな社会的要素からそんな結論が出たのだろう？

ここでまた『キューティ・ブロンド』に戻り、社会的環境のまとめ文の始まりはどんなふうにすればいいか検討してみよう。オープニングは南カリフォルニアのカレッジのキャンパス、つまり、学術的な催しと同じぐらい社交的な行事が重要な場所だ。エル・ウッズはこの階層社会のてっぺんにいる女子学生だ。裕福で、美人で、頭もよく、女子社交クラブの仲間たちからも人気があり、ファッション・マーケティング学でトップの成績をおさめている。

だが、エルの愛する恋人のワーナーは去っていこうとしている。ワーナーの家族は、彼が東部に戻って政治家になることを望んでいる。要するに、ワーナーはマリリン・モンローではなく、ジャッキー・オナシスと結婚する必要があるのだ。エルの社会的環境の感覚では理解できない発想だ。「私がバンダービルト家の人間じゃないからって理由で、いきなり貧乏白人として扱われるわけ？　私はベルエアーで育ったのよ、ワーナー。アーロン・スペリング【訳注：テレビプロデューサー。資産家としても知られる】の家の向かいに住んでるのよ。たいていの人たちは、あの嫌ったらしいバンダービルトの連中なんかより、ずっとまともな人間だって賛同してくれると思うわ」

エルにはワーナーをあきらめるという選択肢もあるが、雄々しく立ちあがる。ハーバードのロー・スクールに入ればワーナーの愛を取りもどせると考え、そのとおり実行する。

さて、エルが挑もうとする暗黙のタブーについて見てみよう。ハーバードの当局はエルが入学申請に提出したビデオに困惑するが、(東海岸の社会的条件にもかかわらず、)エルが入学試験に受かるために必死に努力したことは認めざるをえない。こうしてエルは入学許可を勝ちとる。

しかしエルは、ただマサチューセッツに行くだけでは、自分のミッションは完了できないと悟る。カリフォルニアや、エルのいたファッションの世界では、重要なのはイメージや外見だ。ハーバードという新しい世界では、大事なのは本質で、水を出てしまった〝魚〟のエルがここで成功するためには、身なりを整えるだけではだめだ。ロー・スクールの社会的環境は、食うか食われるかの競争の場だ。闘う準備の整っていない学生は、たえず屈辱を味わうことになる。カリフォルニアに戻れば、社交的で着飾ったブロンドはちやほやされる。しかし、ハーバードでは冗談の種にされるだけだ。

われわれはハーバードについて何を知っているだろうか？　マサチューセッツについてはどうだろう？　東海岸については？　これらの場所はどうやって発祥したのか、その後どうやって現在のようになったのか？　脚本家はこうした設定を略式表現の戦略として使い、観客に社会習慣の情報をたっぷり伝えようとしている。脚本でこうした言及がされている部分について考えてみるといい。ほのめかされている細かい点についても、考えるチャンスを見逃さないでほしい。

この新しい場所では、何が価値を持つのだろう？　考えの浅いクラスメイトに対し、学生たちの態度は攻撃的だ。〝世襲財産〟階級の人々を崇（あが）めるという序列も存在する。もちろん、必死に勉学に励むことも重要だ。〝にわか成金〟のエルが、西海岸社会の魅力を残したままで、それでも勉強に打ち込むことができるのか？　この脚本で問われている重要な疑問は、まさにそこではないだろうか？

出だしとしてはいい。ただし、まとめ作りのトレーニングにおいては、答えよりも大事なのは問いかけることだ。社会的環境をたえず検討しつづければ、さらに価値ある情報も掘りだすことができる。

この作品の性的な環境はどうだろう？　ざっと見たかぎりでは、ハーバードはセックスレスな場所だ。しかし、よくよく見れば、水面下に物語の金塊があるのがわかる。セクシーさに自信があるエルは、（つっけんどんな女の子にいじめられていた）男子クラスメイトのドーキー・デイビッドのことを、「やったらそれっきりのセクシーな種馬」と喧伝することで助けてやる。エルも美容師のポーレットも、ポーレットの粗野な元ボーイフレンドに思いきった攻撃を浴びせてからというもの、ずっとセクシーになっていく。エルとビビアンのあいだではいがみ合いが続き、最初はエルに嫌な態度をとっていたストロムウェル教授でさえセクシーな変化が見えてくる。キャラハン教授がエルに対し、セックスと引き替えにキャリアの保証を堂々と提案する場面については、言うまでもないだろう。

やりかたはわかっただろうか？　では、続けてみよう。脚本を熟読し、すべてのキャラクターの社会的環境について考えてみてほしい。書き手がどこにいちばんうまみのある情報を隠しているかもわからないので、どんなささいなことも見つけだそう。こうしてすべて〝環境的事実〟のまとめを作っていけば、そこに書きだしたアイデアは、ブレインストーミングや疑問の提示を続けるのに役だつ。

どんな物語においても、そこにある暗黙の社会的態度がどんなものか問いかけてみてほしい。ドラマに登場する社会は、ホモセクシュアル、資本主義、結婚、金銭、子ども、老人、マイノリティ人種、共産主義、選挙、教育などについてどう感じている社会だろうか？　現在の階級システムはどうなっている？　人々は宗教信仰を重視しているか、それとも馬鹿にしているか？

こうした社会的環境ゆえに生まれた〝盲点〟は、いったいなんだろう？

## 考えてみよう

1　『マイ・フェア・レディ』のヘンリー・ヒギンズはなりあがり者で、イライザのような最下層の人間を、社会が認めるような淑女に仕立てあげることに喜びを見いだす。彼が破ろうとしたタブーはなんだろう？

2　『ダンス・ウィズ・ウルブズ』の兵士ジョン・ダンバーが近隣のスー族と意思の疎通を図るには、異なる社会秩序に入っていかなければならない。ダンバーがかつて軍にいたときの社会的環境はどんなものだったか？　スー族の大草原地帯でひとりで過ごしてからは、どんな変化が起きたのだろうか？

3　『ロスト・イン・トランスレーション』のビル・マーレイとスカーレット・ヨハンソンは、日本に滞在しているあいだ、ずっと迷い（ロスト）つづけることだろう。彼らが反発しているのはどんな社会的環境に対してなのか、そして、彼らが見逃しているのは日本のどんな社会的習慣なのか？

## ボグラーからひと言

また語源の話だ。今度は〝社会的（ソーシャル）〟〝社会（ソサイエティ）〟の語源を調べてみた。ラテン語の〝ソシウス（socius）〟から来ていて、仲間、盟友、同志、パートナーといった意味があるが、ローマと同盟を結んだ国家に与えられる正式名称でもあった。この言葉には、利害を同じくする同士のつながりを結ぶという意味合いが含まれている。〝社会的な結びつき〟や〝社会契約〟と言うとき、そこにはわれわれを義務や人間関係のネットワークに縛りつける要素がある。キャラクターの周辺でその行動を制約しようとする社会的連携について、ライターがよく意識しておけば、きっと役にたつだろう。

物語はしばしば、社会契約の侵害（殺人、窃盗、不正、戦争）や、社会的結びつきのひずみ（誤解、侮辱、裏切り）から始まる。あるいは、社会的な絆（きずな）が欠けていて苦しむ主人公が、それを生みだすことを迫られる物語もある。『マイレージ、マイライフ』の着想のひとつもそこにあり、深い社会的結びつきを持たずに必死に働いてきた男が、自分もその結びつきを求めていることに気づく話だ。英雄伝説の本質的な要素は、英雄が社会的な役割を担うために成長することだ——最初は自分のことだけを考えていた主人公が、より大きな責任を背負い、時には自分を犠牲にしても、社会に必要なもっと重要なものに尽くすようになる。

# 第19章　環境的事実(4)——宗教的環境

マッケナ

宗教的環境。このツールの領域では、型どおりの答えしか出てこない、あるいはまったく答えが出ないことが多い。つまり、実際に宗教について語る映画などそう多くはない。もちろん『エクソシスト』や『ダ・ヴィンチ・コード』のような映画もある。だが、『リーサル・ウェポン』や『恋愛適齢期』のような映画に、宗教的環境なんて出てくるだろうか？そんなわけで、この章は軽く終わらせ、次へ行くこともできる。

だが、それはよそう。ライターが宗教をあいまいにすることが多いからこそ、内省や探索、発見の余地がたくさんあるのだ。人は誰でも、ガイドブックなしでいきなり人生に放りだされ、その理由や意味を見つけようと長い時間を費やす。誰もが自分よりも大きな存在と通じあいたいと感じている。

意味や通じあうことを求める気持ちが、キャラクターにそれとなく奥深い影響を与えるような環境を生む。特に物語作家にとって重要なことは、そこを探ることにより、きわめて重要な〝問われるべき疑問〟に到達できるかもしれないということだ。

まずわかりきったことから始めよう。宗教的環境が扱う領域とは、神、精神世界、道徳的行動と個人との結びつきだ。メソジストの人もいれば、シーア派イスラム教徒の人もいる。彼らは、聖職者の階層組織や宗教的権威者によって広められた、特定の道徳的な指示に従おうとする。ヒンドゥーの超越瞑想や、幻覚を引きおこすドラッグに答えを求める人もいる。何か熱望するものがある人々は、心の底にある願いを聞き届けてほしい、なんとしても手に入れたいと思っているものを与えてほしいと、見えない力に祈りを捧げる。あるいは、その熱望ゆえに、単純な論理では説明できないようなふるまいに身を投じる人もいる。宗教的環境は、人が自分の〝求めるもの〟を満たすために採用する戦略、あるいは採用しない戦略はなんなのかをわれわれに教えてくれる。

われわれは誰に呼びかけているのか、何を探しているのか？　自分の書いた物語を見て、キャラクターたちが、高みにいる最も神聖な存在とどう交流しているのかを見てみよう。

二つの例をあげる。

『華麗なる賭け』、そしてそのリメイクの『トーマス・クラウン・アフェアー』の主人公は、手の込んだ盗みをやり、馬鹿げた危険な賭けをする。『ミリオンダラー・ベイビー』のプロボクサーのマギーは、嫌がるトレーナーのフランキーに、理屈では説明できない情熱で教えを乞おうとする。

こうした行動を宗教的なものと見なして探っていくと、〝物語のうまみ〟が見えてこないだろうか？　トーマス・クラウンは、ゴルフのとんでもないショットに衝動的に財産を賭ける。これは〝神〟が自分に好意を持っているかどうかに対する賭けだったのではないだろうか？　盗みに関しても、観客は、クラウンが途方もなく裕福な男だということを、冒頭から知っている。利益が彼の動機でないのなら、クラウンを動かすものは、芸術家のインスピレーションと似たものなのかもしれない。彼は自分自身の宗教を探していたのではないだろうか？

『ミリオンダラー・ベイビー』のマギーとフランキーは、どちらも家族と完全に疎遠になっている。フランキーは自分の孤独を問うため、毎日ミサに通う。両キャラクターの行動は、自分の家、家族、絆（きずな）を見いだすための祈りに似ている。宗教的環境を吟味するためには、こうしたことをさらに探っていく必要がある。

ここまでは順調だ。しかし、別のアングルの視点もある。たとえば、ただ万物と調和して生きることを望むキャラクターの宗教的側面を、じっくり考えてみるのも有意義なことではないだろうか。そうすることで、一見そうではない物語にも、複雑な宗教的環境を見つけることができるかもしれない。

たとえば、脚本家兼映画監督の〝血まみれ（ブラディ）サム〟・ペキンパーは、極端に暴力的な男っぽさを題材にすることで知られる。が、ペキンパー作品の多くは、あまりそうとは見せないが、道徳の黙想録なのだ。彼の映画の最重要ポイントは、実は宗教的環境なのかもしれない。ペキンパーの『昼下りの決斗（けっとう）』は、それを非常によくあらわしている。

簡単にストーリーを説明しよう。かつての伝説の保安官、ジャッドとギルは、開拓地を巧みに支配していた。だが、世の中が発展し、もっと大きな事業が育つにつれ、彼らは使い走りの立場に追い込まれていた。ギルとジャッドは金塊の輸送警備に雇われるが、ギルはこの金を盗まない手はないと考えた。しかしジャッドは、もっと高尚な信念に従おうとし、こう言った。「おれの望みは、義を認められたまま家に帰るということだけだ」二人の旧友のあいだに起きる争いは、宗教的な寓話のようでもある。

聖書への言及や道徳論（『昼下りの決斗』にはどちらもたくさん出てくる）は、宗教的環境のわかりやすい手がかりだ。が、そこでやめないでほしい。探索を続けよう。さらに別の角度からの問いかけとして、キャラクターや社会がいちばん望むものは何かということも考えてみてほしい。

さらにもうひとつ。そもそもこの物語における〝神〟とはなんだろう？

ペキンパーの傑作『ワイルドバンチ』では、聖書の話はほとんど出てこない。が、銃撃や虐殺の陰には、倫理や道徳にどっぷり浸かった物語がひそんでいる。パイク・ビショップと無法者の一団は、ビジネス化された新たな西部から追いやられてしまう。試練の時間が彼らの掟を揺るがし、パイクは一団をまとめるために檄を飛ばす。

「おれたちはひとつにならなきゃいけない、昔みたいに！　誰かの味方についたら、最後までそいつを助けろ！　それができないなら獣と同じだ、おまえらはおしまいだ！　おれたちがおしまいだ！　おれたちみんながおしまいなんだ！」

　彼らには死が取り憑いていて（「おれたちはもう、銃のことばかり考えてるわけにはいかないんだ。そういう時代はすぐに終わる」）、誉れ高く去ることを強く願っている。脚本には、友情、名誉、そして責任によるジレンマが、彼らの行く手に冷酷に配置されている。西部劇の装いを借りながら、ペキンパーが創りあげたのは、宗教的体験の物語だ。これは贖罪の探求なのだ。物語は浄罪のための鞭を持って待ちかまえ、主人公たちや観客は、最後には魂を浄められてよみがえる。名誉を見いだし、強烈な道徳への渇望に触れて物語を終える。

　以上のような例で、宗教的環境の検討のしかたはわかってもらえると思う。教会も神殿もモスクも出てこなくても、物語が日常的な道徳観に問いかければ、それが観客の魂にも訴えかけてくる。

自分の書いたキャラクターは、何を〝神〟と見なしているだろう？　彼らの最も強い願いはなんだろう？

ここまでも『キューティ・ブロンド』を取りあげてきたが、エルの宗教的な性質を無視するのは簡単だ。しかし、少しながめてみれば、エルがつねに自分の道徳観や良識に動かされていることはすぐにわかる。

エルは、ハーバードのクラスメイトなら貧乏白人とあざけるような美容師のポーレットを、暴力的な元ボーイフレンドから守ってやろうとする。嫌味な新入生の女の子がドーキー・デイビッドを公然と侮辱すると、エルは即興で（「私はもう何時

『ワイルドバンチ』の主人公たちは武装して戦いに向かうが、これは魂の贖い（あがない）を求める最後のチャンスの幕あけでもある。

間もあなたのために泣いているの」ドーキーを女たらしのたくましい男に祭りあげてやる。
これらの行動は、まぎれもなく物語の宗教的環境から生じているものだ。
ただし、エルには単なる親切以上の何かがある。窮地に追い込まれている女子社交クラブの先輩のブルックは、誰にも話せない秘密のアリバイをエルに明かすが、エルは彼女の信頼を裏切るよう圧力をかけられる（「もし話せば、夏にはインターンになれるかもしれないんだぞ。ブルックのことなんて誰が気にする？　自分のことを考えろよ」）。それでもエルは、教師や雇い主やワーナーに認められることよりも、約束を守るほうが大事だと考える。エルにとっては、自分の都合よりも宗教的ルールのほうが重要なのだ。

　こうした道徳的な判断が、観客をエルに惹きつけ、彼女を応援しようという気にさせる。あまりそうは見えなくとも、宗教的価値観は、エルのキャラクターやこの物語の重要な点なのだ。

　この映画の宗教的環境には、ほかにどんな価値観が存在しているだろう？　たとえば一流の教授であり法律家のキャラハンは、名声や権力の神しか信じていない。キャラハンがエルの精神の慎み深さに気づかず、性的な対象としか考えないことがわかると、観客はキャラハンを見かぎる。

ストロムウェル教授は最初の授業でエルを泣かせ、観客は教授に腹をたてるが、気落ちしたエルに教授が話しかける場面で名誉を回復することになる。「あなたがバカ男のせいで自分の人生をあきらめるのなら……あなたは私が思っていたような生徒ではなかったということね」宗教用語を借りれば、ストロムウェルは〝よい天使〟となり、エルを〝悪〟と闘わせようとする。

エルは観客の道徳的な指標となる。エルの宗教面での純粋さを理解するキャラクター、たとえばビビアンやポーレットに、観客は共感する。ワーナーのように何もわかっていないキャラクターが失墜すると、観客は大喜びになる。

脚本家のラッツとスミスは宗教を語ったりはしていないが、物語の宗教的環境は特徴的で、細かいところまで考え抜かれている。

まとめに入る前に、僕が章の最初に示した疑問を考えてみよう。『リーサル・ウェポン』の宗教的環境は何か？　検討の前に、主人公のリッグズが自殺志願者で、頭がおかしいと思われていることは指摘しておきたい。それと、彼の妻が最近死んだことも忘れないでほしい。ここから、宗教的には何がわかるだろう？　『恋愛適齢期』のジャック・ニコルソンの三〇代の女性への欲望、ダイアン・キートンのタートルネック・セーターへの執着についてはどうだろう？　こうした細かい描写は、僕には祈りの叫びのようにも見える。皆さんはどう思うだろうか？

**考えてみよう**

1　ジョン・ヒューストン監督の『黄金』における〝神〟は、三人の主人公が発掘した黄金だ。しかし、金持ちになった採鉱者のハワードは、名誉、感謝、そして義務を果たすため、自分たちが荒らした情け深い山を三人で浄めるべきだと説き、打算的なフレッド・C・ダッブズでさえも同意して手を貸す。彼らは宗教的な犠牲を払ったということだ。

さて、この脚本には、ほかにどんな宗教的要因が働いているだろう？

2　一九八〇年代以降、宗教はオリバー・ストーン作品の重要なポイントとなっている。ストーンは『ウォール街』『プラトーン』の両作品にチャーリー・シーンを起用し、宗教の両極で板挟みになる平凡な人物の役割を与えた。

『ウォール街』のチャーリー・シーンは、企業乗っ取り屋のゴードン・ゲッコーの富と権力を狙う野心的な人物を演じた。そのためには、「強欲は善だ」というゲッコーの非道徳的な信条を受け入れなければならなかった。

　シーンの父親は労働者階級の人物で、息子が高い志を持つことを願い、息子をさとす。「たやすく手に入る金に向かわずに、自分の人生のなかで何かを生みだすことを考えろ。他人の売り買いするものから生計を立てるより、何かを創造するんだ」若い息子はどちらの道徳的信条を選んだだろうか？

　この作品の宗教的環境では、より重要な〝神〟はどちらだろう？　ストーンは、脚本の個々の場面で、双方の〝神〟をどう対立させているだろう？

『プラトーン』のチャーリー・シーンは、平凡な人物としてベトナム戦争の渦中に放り込まれる。歩兵の彼は、ジャングルを進むほかの歩兵たち同様、自分はきっと戦闘で死ぬに違いないとほぼ確信している。彼を救うことができるのは誰か？

　彼はどうふるまうべきだっただろう？　エライアス軍曹は善良な男で、物事から生まれる美というものを理解している。バーンズ軍曹は非情な殺人マシンだ。バーンズはエライアスのことを「十字軍戦士」と呼ぶ。エライアスはバーンズを「むかつく奴（プリック）」と呼んでいる。両者はどちらも正しいし、チャーリー・シーンのキャラクターは、自分がどちらの〝神〟に仕えるべきか判断を迫られる。

シーンのキャラクターが最後の結論にいたるまでのプロセスを、一歩一歩追ってみてほしい。

3　映画『ソフィーの選択』で、ヒロインがホロコーストの収容所の将校に、一方の子どもをあきらめればもうひとりの子どもを生かしてやると言われる場面では、どんな道徳要因が働いているだろうか？　この状況下における〝神〟とはなんだろう？

## ボグラーからひと言

デイビッドと私の宗教観には似たところがある。人がどの教会に通うかよりも、どんな物事を信じているかといったことを重視する、もっと広いとらえかたをしているのだ。若いころの私はフィルム・ノワール（退廃的な犯罪映画）の暗い世界をあまり好まなかったが、デイビッドが『ギルダ』という古い映画を強引に見せてくれたおかげで、考えが変わった。リタ・ヘイワースの鮮烈な存在感もさりながら、あの作品は、〝デイビッドの福音書〟によれば、果てしなく重大な意味を扱っている。犯罪王と若いチンピラのささいな物語の裏には、驚くべき重要な意味合いがひそんでいたのだ。そこにあるのは、原始的な力で煮えたぎる世界であり、神と悪魔が永遠の闘争を続け、ときには両者の区別さえ難しくなるような闘技場なのだ。

宗教とは関係なさそうな映画から、隠れた宗教的想定を見つけるのは楽しい作業だ。この発想が身につくと、あの『パルプ・フィクション』でさえも、人生における神聖で奇跡的な力の介入を表現する作品に読めてくるのだ。

# 第20章　環境的事実(5)——政治的環境

マッケナ

政治。権力。人民。これはおもしろくなりそうだ。
最初に確認しておくが、米国を舞台にした物語には、明白な政治的環境がある。市民が自分たちの行政組織や立法府に票を投じ、司法に反応を示すことのできる、民主主義共和国としての政治的環境だ。これ自体は真実には違いないが、それだけでは、知られた言いまわしで氷山の一角をなぞっているに過ぎない。

わかりきっていることの先へ進もう。唯一の〝正しい〟答えを探しているわけではない。われわれストーリー探偵の目的は、ちっぽけな、しかし多くを語る細かな点を調べだして吟味し、〝問うべき疑問点〟にたどりつくことだ。

宗教的環境と同様で、物語作家は必ずしも物語の政治的環境を明確にはしないが、どんな状況にも政治的な含みはある。自分たちの成績を決める講師の授業で、必死にノートをとる生徒たちは、政治的状況のどまん中にいる。病院の救急治療室で治療を受けたい患者も、スピード違反の切符を切られないよう言い訳する運転手も、政治的現実に対処していることになる。政治は、民主主義共和国の中心部におさまることのない大きな広がりなのだ。

どの状況でも、誰かが権力を持ち、誰かが対処を求めている。それが政治の力学の本質だ。〝職場の政治学〟という言葉を聞いたことがあるだろうか。どういう意味だろう？　国際企業であれ、近所にある家族経営の店であれ、どんな職場も政治の権力構造に支配されている。自分の書きかけの物語には、この〝職場の政治学〟が使われているだろうか？　スポーツのチーム、ストリート・ギャング、園芸クラブ、すべてに政治構造がある。友情にさえ政治の権力構造があるものだ。

権力側にいるのは誰か、そしてその権力はどう行使されているだろうか？　一家の主は誰か、なぜその人なのか？　権力は上から下まで浸透しているのか、その逆はどうか？　権力を支えているものは、恐怖か、賢明さか、金銭か、人気か、外観か、言葉の巧みさか？　身体的な強さは関係しているか？　各特徴が政治要因を規定している物語や設定を考えてみてほしい。

別の角度からも考えてみよう。人々は、自分たちを支配する政府のことをどう思っているだろうか？　手放しに支持しているだろうか、それとも疑いを持っているだろうか？　政府は公約を守っているだろうか、それとも〝言行不一致〟だろうか？『十二人の怒れる男』は、陪審員の討論を題材にしている。キャラクター間に政治的システムへの信頼度の違いがあるからこそ、こうしたドラマも生まれてくる。

物語に出てくる個々の市民が持っている権利はどういうものだろう？　彼らの義務は？

もし自分の書いている物語の政治条件下で生きているとしたら、人々の生活はどんなふうだろう？

さまざまな問いかけが、書き手の政治的配慮を深めてくれる。物語の〝場所〟ではどんな法律があるか、それがどう作られて施行されたかを考えてもいい。その法律は単独の人物が決めたものだろうか？　草の根運動の力でできたものか？　汚職、金品の交換、政治助成金などが、どの程度の影響力を持っているだろう？　最終決定は誰が下す？　法律は改正可能か？　可能なら、その手続きは？

深く掘りさげてみよう。その政治システムの基盤は、どんな歴史上の出来事から生まれたのだろう？　アメリカ建国の父がアドルフ・ヒトラーではなくジョージ・ワシントンだったおかげで、どんな違いが生じたのだろうか？

書きかけの物語の題材に、直接影響を与えそうな歴史上の出来事はあるだろうか？　物語は平和で繁栄した国の話か、それとも戦時中か？　戦時中なら、敵は誰で、なぜ戦っているのか？　もし平和なら、社会集団の政治目標は？　人々が共有できる余剰資源はあるか、それとも不足気味なのか？

そんなふうにして疑問点を見つけていけば、新たな政治的発見が出てくるはずだ。ところで、ここでちょっと休憩して、あるひとりの物語作家の話をしよう。彼がいかに政治的環境を活用したのか、そしてそれはなぜだったのかを。

シェイクスピアは、その詩作能力と個々の人間関係への深い理解ゆえに、何世紀にもわたり世界中に名を馳せてきた。だが、物語の政治的環境に熱心に取り組んだという意味でも、他に類を見ない作家だと思う。シェイクスピアの戯曲には、政治の激変によって物事が動きだすという場面が数多く登場する。

たとえば『テンペスト』のプロスペローは、退位を強いられ追放された文民統治者だ。リア王の悲劇は、政治権力を次の

ウィリアム・シェイクスピアの戯曲の独裁者ジュリアス・シーザーは、敵の短剣に取りかこまれ、過激な手段で統治者の座から引きずりおろされる（写真は1953年公開の映画より）。シェイクスピアほど効果的に政治的環境を使いこなした物語作家はいないだろう。

世代へ譲ろうとするところから始まる。『ハムレット』の父王は暗殺される。『ジュリアス・シーザー』は、共和制を独裁制に変えようとした男の悲劇だ。『尺には尺を』では、狂信的な公爵代理のアンジェロが、自由主義者の公爵から地位や土地を託される。コリオレイナスは共和制ローマの最高指導者になれたかもしれないが、人気取りの選挙運動を拒否したために選挙に負けてしまう。

シェイクスピアの政治的環境は、たとえ明白に表に出ていない場合でも重要な役目を果たす。たとえば、『夏の夜の夢』のドタバタ喜劇も、いたずら好きの妖精たちが日常の政治的環境を破壊したと知らなければ、ほとんど理解できないユーモアだ。

シェイクスピアは、当時の観客の心に、政治的秩序への根深い不安があることを知っていた。イギリスが何世紀も激しい動乱の世を過ごしていた時代で、そのときの君主には跡継ぎがいなかった。シェイクスピアは、誰にもなじみのある政治的環境に、わざとあいまいな形で物語を置くことで、観客との結びつきを図ろうとしたのだ。

こうした表現方法はどんな作家にでも応用できる。自分の物語の権力構造や政治的環境は、何を目的にしているのかよく考えよう。以下にあげる二つの事例は、その要点を明らかにしてくれている。

二作品とも、冷戦の恐怖や不安の色濃い一九五一年に公開された娯楽映画だ。どちらにも地球に来た謎のエイリアンが登場し、米軍がこれに正しく対処する。科学界がエイリアンを研究対象として保護したがるが、軍は人類に対する恐るべき脅威と見なし、武器による対応を主張する。

『遊星よりの物体X』（ハワード・ホークス製作）では、軍による安全優先の対処が正しかったことが証明される。ロバート・ワイズ監督の『地球が静止する日』では、この対処法が惨事を招き、科学者がエイリアンを受け入れ理解することを訴え、そのおかげで平和が戻る。

物語の概略だけ見るなら、この二つの映画はほとんど同じもので、政治的環境がわずかに異なるだけだ。そして、このわずかな違いこそが、物語作家の意図を反映するのに不可欠なのだ。『ジュラシック・パーク』『インデペンデンス・デイ』『第9地区』など、もっと新しい映画にも、同様の政治的な問いかけがあるはずだ。これと同様、政治的環境の性質も重要である。

要するに、二人かそれ以上の人物が交流すれば、そこには必ず政治的環境が生じるということだ。政治的環境とは何か、それがどう機能するかを知っておくと、物語に現実味が増し、観客も共鳴しやすいものとなる。

『キューティ・ブロンド』の検討に戻ろう。この物語をスタートさせる出来事は、きわめて政治的だ。映画は、エルがワーナーのプロポーズを予期して、〝パーフェクトな日〟を準備するところから始まる。しかしワーナーは、プロポーズどころか、エルを捨ててしまう。なぜ？　そう、ワーナーには米国議会でキャリアを積むという野心がある。「僕が政治家になるのなら、ジャッキーと結婚する必要があるんだ――マリリンじゃなくね」

政治的環境は、ハーバードでのエルの立場にも影響を与える。ドーキー・デイビッドや、好戦的なフェミニストのイニッドらのクラスメイトは、ソマリアの孤児のための人道活動や〝飲酒運転に反対するレズビアンの会〟の活動で、すぐさま高い地位を獲得する。エルは気づかない（観客は気づく）が、社交クラブの女王の座やデルタ・ヌウの会長といった政治的実績ではとても勝負にならない。

女同士の政治的なつながりは、ビビアンとエルが絆（きずな）を結ぶきっかけとなる（「キャラハンはワーナーに、コーヒーを入れろとは一度も言ってないわ。私は一〇回以上もやらされたのに」）。二人はハーバードにおいて民主的に自分の居場所を勝ちとり、一方でワーナーは、父親が

「電話をかけて」根回しをするという政治的策略に頼っている。そこには「OBネットワーク」が厳然と存在しているらしい。法廷にいる誰が男で誰が女かを考えてみることで、有益な何かを見つけだせたりはしないだろうか？

　エルが法律家として勝利をおさめる土台も、やはり政治だ。エルと、殺人の被告で依頼人のブルックは、両者とも母校の社交クラブ、デルタ・ヌウで同様の政治的経歴を持っている。どちらも大物法律家のキャラハン教授に見くだされ、存在を否定されるが、ブルックはエルなら信用できると感じている。エルが弁護団の一員と知ったブルックは、安堵(あんど)のため息をつく。「ああよかった、脳みそのある弁護士がひとりはいるのね」

　ここでようやく、二つの政治構造が動きはじめたと言ってもいいのではないか。一方の政治構造は、生きるか死ぬかの争い、上からの厳しい圧力、すべてを犠牲にした勝利を基盤として権力を行使してきた。そこへ、協力しあい、信頼感を頼みにし、たがいの利益を優先しようとする、もうひとつの政治構造があらわれて力を発揮しはじめた。エルが身を捧(ささ)げるのは後者であり、それがこの物語の優先事項にもなっていく。ほかの優先事項で成りたつ政治的構造が、物語に効果的に使われている例をほかにも探してみてほしい。

## 考えてみよう

1　マーティン・スコセッシ監督の『カジノ』は、犯罪組織のリーダーが、身を隠していたラスベガス当局の連中と取っ組みあいになるクライマックスで、二つの政治的環境を対立させて配置している。二つの環境のどちらが勝ったと言えるだろうか？　また、この物語は、ロバート・デ・ニーロの演じるキャラクターの頭のよさと、ジョー・ペシ演じるキャラクターの腕力とを直接対立させている。両キャラクターはさまざまなところで政治的権力をにぎる。両者が政治的にトップにのしあがった要因はなんだったのか？

2　『パルプ・フィクション』の政治的環境は、マーセルスを、服従を強いる絶対的支配者と設定している（八百長をやらされることになっていたブッチや、マーセルスの妻の足をマッサージしてしまうアントワンを見ればわかるだろう）。こうした権力構造から始まる歴史上の神話には、どんなものがあるだろう？　マーセルスはどうやってその権力を築いたのだろうか？

3　『スラムドッグ$ミリオネア』の政治的環境では、貧しい生まれのジャマール少年が、テレビのクイズ番組で不正をしているに違いないという訴えが起きる。この訴えは、全体の権力構造の何を物語っているのだろう？　この構造における政治的優先事項はどういうものだろうか？

4　アーノルド・パールとスパイク・リー脚本の映画『マルコムX』では、いくつかの重要な場面で、白人の政治的権力構造によって黒人市民に負わされる制約を明確に描いている。どの場面がそうだろう？　また、この脚本における黒人の政治構造を、白人の権力構造と比較対照してみよう。

## ボグラーからひと言

デイビッドも私も、自分たちが接触してきたすべての世界、すなわち、劇団、大学の執行部、軍隊、労働組合、映画会社などには、よく認識して対処すべき政治的な構成要素があるということに、早くから気づいていた。権力には明白かつ公明正大なものもあれば、あいまいでよく見えないようなものもあるということを、理解しなければならなかった。物語のキャラクターたちと同じように、誰もが遅かれ早かれ、シーソーのような権力闘争のどちらにつくかを選択しなければならないものだ。中立でいたくても、実力を発揮したいのなら、それは不可能だ。物語の主人公がいつもそうであるように。

自分の作品を売り込んで製作してもらいたいと思うのなら、多少の政治的な意識や裁量は、つねに手近に持っておいたほうがいい。

# 第21章　環境的事実（6）——経済的環境

マッケナ

考慮すべき最後の〝事実〟は、経済だ。宗教や政治のように、明確に見える部分もあれば、あいまいな領域もある。その両面を見てみよう。

経済的な階級のどこに位置するか、相対的に裕福なのか貧しいのかといった疑問には、はっきりとした答えが出しやすい。ドラマを生みだすには、〝求めるもの〟を持ったキャラクターが必要だ。金銭は誰もが手にしたいもののひとつであり、どんな物語作家にも気軽に使えるモチベーション要素だ。『ザ・エージェント』のフットボール選手、ロッド・ティドウェルがこのひと言で言ってのけたように――「金を見せろ（ショー・ミー・ザ・マネー）！」

作家のパトリシア・ハイスミスが『リプリー』で書いた有名なキャラクターのトムは、裕福な友人ディッキーの地位を欲しがり、ディッキーを殺して彼になりすましてしまう。コーエン兄弟の奇作『ファーゴ』では、借金まみれのカー・セールスマンのジェリーが、裕福で横暴な義理の父親から金を奪って逃げようとする。『サイコ』では、恋に悩んで四万ドルを盗んだマリオン・クレインが、ノーマン・ベイツがねぐらにするモーテルにたどりついてしまう。

経済の最も単純な領域をいちばんよく言いあらわしているのは、『スカーフェイス』のトニー・モンタナの台詞（セリフ）かもしれない。「この国では、まず金をためなきゃだめだ。金をためたら、次は権力だ。権力を手にして、それから女さ」

　まださまざまな要素は見いだせる。経済的環境は、人々の相互のふるまいに大きな影響を及ぼす。一九三〇年代には、間の抜けた女相続人と下層階級の熱血漢コンビのとっぴなコメディが、たくさん創られている。ジェイン・オースティンの名作の数々では、女性が恋人候補との結婚を考えるときに出てくる、明らかな経済力の差が大きく幅を利かせる。

　映画『ギルダ』（一九四六年）のジョニー・ファレルは、いかさまギャンブラーとして自由に生きてきた。が、カジノのオーナー

『サイコ』の一場面。下品な老人（右）は、金に困るマリオンが幸せになれるだけの現金を持っている。映画史上最高のどんでん返しのひとつとされるプロットが、ここからスタートする。

として権力をふるうバーリン・マンソンに出会ったファレルは、自分を雇ってほしいと売り込む。ファレルは経済の階級を上がっていきたいと考えていて、そのためには〝雇われ人〟となる屈辱にも耐えようとする。

この状況は、『素晴らしき哉、人生！』のジョージ・ベイリーが、さもしく欲深な財産家のミスター・ポッターに屈服するまいとがんばる姿とは対照的だ。「あなたは、そこに座って、ちょっとした蜘蛛の巣を張って、全世界が自分と自分の金を中心に回っていると考えている。ですがそうじゃありません、ミスター・ポッター。この広大な世界では、あさましい小さな蜘蛛など取るに足らないものですよ」

ここからは、経済的環境への問いかけにもっと踏み込んでいこうと思う。金を持っているのは誰なのか、キャラクターが金を手に入れるために何をするのか、あるいは何をしないのかについて考えてみたい。

## 安易な解答に頼ってはならない

少し深く掘りさげてみよう。

たとえば、自分の書いている物語において、人々がどう生計をたてているかは重要なポイントとなるはずだ。キャラクターの誰かが働き、ほかの誰かが管理側にいれば、対立や両極化はたやすく起きる。『ノーマ・レイ』や、ジョン・セイルズ監督の『メイトワン１９２０』のような映画では、こうした分断が話を引っぱることになる。

対立と両極化は、法を守る人々のなかに犯罪者のキャラクターがいたり、働いて金を稼ぐ人々と信託財産で暮らしている人々が一緒にいたりすることでも起きる。経済がどこから生じているのか、その源についてもよく確かめてみよう。

人々は、生きていくために何を支払おうとするだろう？　そこにも意味のある対立や両極化が見つかるのではないだろうか。働く親は、子どものそばにいるために、時間を犠牲にする。これが『アリスの恋』『クレイマー、クレイマー』『幸せのちから』に出てくる親子のどちら側にもドラマティックな効果を与えている。そこまではっきりしたものではなくても、同じような犠牲はほかの物語にもある。警察官、兵士、消防士は、任務としてつねに自分を危険にさらす。技術革新者は自分の知的財産を代償にイノベーションを起こそうとする。生死の境で自分の尊厳を捨てる人間もたくさんいるだろう。

このように、経済（金品やサービスの流れ）を基盤とした両極を主題として、物語を考えてみよう。経済が中心の物語を組み立ててみよう。

## 金に従え

一歩下がり、別の視点から考えてみよう。

経済的な力が生じるそもそもの源はどこだろう？

脚本には詳しく書かれていないかもしれないが、『ギルダ』のバーリンの財源（さりげなく描かれてはいるがプロットの重要なポイントだ）、それに『素晴らしき哉、人生！』のミスター・ポッターが町でいちばん裕福な人物になった理由についてじっくり考えると、そこに〝物語のうまみ〟があるのがわかると思う。

ジョージ・スティーブンス監督の『ジャイアンツ』では、新しい土地テキサスにやってきたレズリーが、夫の裕福な親族や地元の人々がメキシコから土地を奪ったとほのめかし、騒動を起こしてしまう。エドワード・オールビーの戯曲『ヴァージニア・ウルフなんかこわくない』では、登場人物の財産がほとんど世襲のものであることを指摘することで、結婚や子孫についての意見を明確に打ちだしている。

どの事例も、〝経済力の源〟を問うことにより、物語世界の動きを具現化し、ドラマとしてまとめているのだ。

## 別の道はつねにある

とはいえ、話はまだ深いところにはいたっていない。ここまで話題にしてきた事例はすべて、資本主義的な（金銭をベースにした）経済システムを前提としたものだ。ほかの経済システムが重要な役割を演じるケースもあるのではないだろうか。

ほかにどんな経済が存在しているだろう？

人が商品やサービスを交換しあうシステムではどうだろうか？

階級も国家もない、抑圧もない共有資産の社会を求める、共産主義の理想家たちの場合はどうだろう？

あるいは、もともと財産という概念が存在しないシステムの場合はどうだろう？

最後のアイデアを形にしたのが『ミラクル・ワールド　ブッシュマン』である。個人の財産という感覚がないカラハリ砂漠の辺境部族が、上空を通過する飛行機から投げ捨てられたコーラの瓶に出くわし、仲間たちは神からの何かの贈り物だと信じ込む。いつもは平和な部族が、このかけがえのない物体をめぐって争いになり、文明的な緊張関係に陥る。この贈り物を神に返しに行こうとする部族民が、コミカルな冒険をスタートさせる。

## ほかの通貨形式

経済的環境の〝誰の目にも歴然〟とした部分の説明をここで終わるのは、僕としてはあまり気乗りがしない。耕せる土地はまだたくさんある。ただ、この先さらに微妙な部分が待っているので、できればそちらに進みたい。つまり、〝経済的環境〟とは、金銭だけの領域ではないのだ。われわれの物語の世界に、別の〝法貨〟は存在するだろうか？

セルジオ・レオーネの〝ドル箱三部作〟は、一見するとキャラクターが戦利品に動かされているようだ。しかし、突きつめればそこはあまり重要ではないのだ。クリント・イーストウッドが各作品の終わりにどれだけ金を貯め込もうとも、次作では同じポンチョを着て、ほとんど所持品もなく登場してくる。そう、レオーネは確かに金の話をしているのだが、この物語の経済領域における貨幣とは、どれだけ正確無比の射撃の腕があるか、どれだけ道徳を超えたサバイバル技能があるかということなのだ。

これは『グッドフェローズ』の〝メイドマン〟についても言えることではないだろうか。彼らも表面的には、金に不自由のない生活を求めているように見えるが、彼らの世界は〝敬意〟という奇妙な観念を中心に回っている。〝敬意〟を払われるか否かの問題が、少なくともそれが貨幣として流通する世界では大事なことなのである。

情報や知識も貨幣として流通することがある。『羊たちの沈黙』の人食いハンニバルが収監されている精神異常犯罪者用の独房には、大した所持品はない。しかし彼は、進行中の犯罪について知識を所持していて、だからヒロインのクラリスや、彼女のＦＢＩの指導者であるジャックは彼と交渉しようとするのだ。『シックス・センス』の主人公の少年は、自分につきまとう疲れ果てた精神科医が、死者を自分から遠ざけてくれるかもしれないという希望にすがり、最悪の悪夢にも耐えようとする。

〝その世界の貨幣〟という発想は、経済的環境を探求するうえで、とらえるのが難しい要素だ。が、予期せぬ発見を導いてくれることもある。考えてみる価値はある。

『キューティ・ブロンド』における経済的環境はどのようなものだろう？　主要キャラクターの多くが豊かな暮らしをしているため、表面的には重要でないようにも見える。エルは大邸宅に暮らしている。ワーナーの一家は、代々米国議会の議員を輩出できるぐらいの財産を持っている。学生たちも、ハーバードのロー・スクールの学費が払える余裕のある暮らしをしている。

それでも経済的環境の偵察を続けてみよう。たとえば、ワーナーがエルを捨てるのは、

〝マリリン〟ではなく〝ジャッキー〟が必要だからで、〝代々の資産家一族〟と〝にわか成金〟のあいだには微妙な区別が見える。ブルックが殺人の嫌疑をかけられている理由のひとつは、彼女が財産のあるかなり年上の男と結婚したことだ。エルでさえ、アーロン・スペリングの家の向かいに住むことのほうが、「嫌ったらしいバンダービルト」と関わるよりずっといいと言い、経済的な区分を主張する。

〝代々の資産家一族〟対〝にわか成金〟という構図は、この物語にくり返し出てくる対立図式である。ポーレットや宅配便の配達人が労働者であるという事実も、この方程式に加わってくる。

この物語に〝その世界の貨幣〟はほかにも存在するだろうか？　拡大解釈になるかもしれないが、エルが、ポーレットやビビアン、エメットやストロムウェル教授とともに〝ビジネス取引〟を完了できたのは、エルの忠誠心や親切心のおかげであり、それなしには実現できなかったようにも思える。

以上に気をつけて、経済的事実のまとめを書いてみよう。

## 考えてみよう

1　『ザ・エージェント』は、主人公が報酬の高い自分の仕事の価値を疑うところから始まる。一方、ロッド・ティドウェルは、金銭に匹敵するものは愛と敬意だと考えている。この物語にはほかにどんな経済的要素が働いているだろうか？　この物語の経済的な対立図式は何か？　それはどう解決されるだろうか？

2　トム・クルーズの映画をもう一本検証しよう。『卒業白書』の主人公の旅路には、どんな経済的要素があるだろうか？

3　恋人たちの物語（たとえば『ロミオとジュリエット』など）を思い浮かべ、二人にそれぞれ違う経済的背景を与えてみよう。この違いはどうドラマを盛りあげるだろうか？

## ボグラーからひと言

物語の経済的な側面において、金銭以外のものが重視されることがあるというデイビッドの意見は、まさに言い得て妙だ（失礼、つい言いたくなった）。

違う形の通貨や価値の測定法は確かに存在する。

経済（家計管理を意味するギリシャ語から派生した言葉）とは、時間、エネルギー、集中力などの資源を、割り当てたり分配したりするという意味も持つ。

映画の脚本は簡潔に表現されたものでなければならないと言われるが、それは真実だ――書き手の時間やエネルギーは無限ではないし、観客の注目も限られたものなので、さまざまな要素を賢く振り分けたいものだ。

# 第22章　環境的事実――結論

マッケナ

環境的事実について七章にわたりざっと見てきた。

映画脚本家は、環境的な手がかりを脚本に埋め込み、一緒に映画を創る芸術家の仲間たちに与えることで、自分が最初にイメージした作品の三次元的な世界へと導く。解釈の専門家は、書き手が残した手がかりを見つけだす。ここまでそのトレーニングとして、〝日付〟と〝場所〟という明らかな現実から、社会や宗教的要因といった少し微妙な特徴まで、いくつかの角度から物語を検証してきた。

ここで、くり返されるテーマや要素を明らかにするために書いてきた、それぞれのまとめ文を比較してみよう。複数回出てきた要素は注目に値するし、おそらくその要素が、物語作家が創った特別な世界の中心への橋渡しをしてくれるはずだ。

たとえば、ここまで、映画『キューティ・ブロンド』を検証し、六本の文章にまとめてきた。継続的に登場してくる要素は何か？　この物語の本質は何か？　自分が書いたものを見なおして、くり返し出てくるものを確認してみてほしい。

## 陸にあがった魚

僕自身のまとめでわかったことは、これは〝陸にあがった魚〟の物語だということだ。

〝場所〟のまとめにより、生まれ育った南カリフォルニアからハーバードのロー・スクールという新たな世界へ移行する、エルの旅路の概略が明らかになった。二つの世界の社会的・宗教的・政治的・経済的な違いは、相反する特徴的な両極として検証に活用した。

## 旅路の円弧

両極の図式を、機能しているテーマを探すことに使ってみることにする。キャラクターは全員、承認から否認までのスペクトラムのどこかに存在しているようだ。何人かは否認のパターンから抜けられずにいる。そのほかは多少なりとも承認の気持ちを持っている。これがストーリーテリングの金塊に僕を導いてはくれないだろうか？

エルの感情と知性の旅路について考えてみよう。始まりは重要だが、エルの旅の始まりはどこだろう？　最初の登場シーンでは、エルはプロポーズを受ける準備をしている。その夜は完璧（かんぺき）な装いをしなければならない。すべては外見だ。

ラストとの違いはなんだろう？　ラストシーンまでに、エルの世界観は大きく広がっている。外見も依然として大事だが、努力も内面も同じくらい大事なものになっている。かつては嫌っていたビビアンのような人間にも価値を認められるようになった。ストロムウェル教授からは敬意を、エメットからは愛情を勝ちとった。キャラクターたちは受け入れることを学び、希望をかなえて勝利を手にした。ワーナーやキャラハン教授のようなキャラクターは否認をやめられず、打ち負かされ失墜する。

## 核心に近づくための推理

核心に近づきつつはあるものの、まだたどりつけないようだ。このまとめのなかで何度も出てきたのは、先入観という言葉だった。この映画は偏見の物語なのだろうか？　僕が見つけた環境的事実は、そのことを裏づけられるだろうか？

ワーナーは明らかに、ガールフレンドにする女の子と妻にする女の子は違うものだという偏見を持っている。エルの進路指導カウンセラー、それにロー・スクールの入学審査委員会も、どんな人物がハーバードに受け入れられるべきかについて、偏った考えを持っている。エルの両親は、ハーバードにはまじめで退屈な人間しかいない、ミスコンテストで華々しく成功しているエルとは大違いの人種ばかりだと固く信じている。

エル自身もバンダービルト家に偏見を持っている。どうもこのあたりに何かありそうだ。

この物語は、観客にも自分の偏見について考えさせようとしている。頭の悪いブロンドのジョークには僕も笑ってしまったし、この話は、僕（と、ほかの観客）の持つステレオタイプ（紋切り型）のブロンド美女像に、新たな視点を与えようとしているのだ。この物語の道筋をたどるうえで、これは気に留めておくべきポイントだろう。

そもそもこの脚本の書き手は、映画の冒頭からステレオタイプというものをいじりまわしている。オープニングの女子社交クラブのシーンには、チアリーダーやパーティ好きの女の子など、元気いっぱいのバカっぽいセクシーガールが大量に出てくる。ドレスショップの店員の女性はエルのことを「パパのカードで買い物するブロンドのおバカ女」だと思っている。

エルはそれだけではないところを証明するが、そのエルもステレオタイプの罠（わな）に引っかかっている。エルが〝その日〟のために準備するのは、すべて外見だけだ。自分を省みても、せいぜい自分のおっぱいが大きすぎることぐらいしか思いつかない。ハーバードに入学申請するにも、ビキニ姿で自己アピールするぐらいだし、学校のパーティにもバニーガールのコスチュームで出かけていってしまう。

ステレオタイプにとらわれると、ブロンドは頭が悪い、軽薄で官能的、人の言いなりにしかならない、と思い込んでしまう。文字どおりジョークのネタだ。

脚本は、ブロンドのポジティブな面も見せてくれる。エルには鈍感なところはあるかもしれないが、優しい心の持ち主で、ポーレットやドーキー・デイビッドのような、しいたげられた立場のキャラクターを守ろうとする気概も見せる。

エルはグラマーで男心をそそるが、そこから生まれる自信のおかげで、古い慣習にも堂々と抵抗する。慣習に縛られた頑固者のキャラハンは、エルが渡してきたピンク色の香りつき履歴書に困惑する。寛容なエメットは偏見にとらわれず、いい匂いの履歴書だと受け入れる。

自分もしいたげられた下層階級の一員という気持ちから、エルは苦しんでいる同志たちを守ろうとする。ブルックを裏切れば得点稼ぎになったのに、エルは偏見に凝り固まった教授に奉仕するのを拒み、ブロンド仲間の味方でいようとする。

競争に勝つことが何よりも大事だと訴える心の狭い連中とは違い、エルは自分を出し惜しみしたりはしない。ブロンドであることが心の状態の象徴なのだということにエルは気づいていて、ブロンドの秘密、「屈(かが)んで、パッ」をやるこつを、恋に悩むポーレットにも教えてやる。

だいぶ核心に近づいてきた。が、まだつかめてはいない。

## ターニングポイントはどこか？

エルの旅がどこから始まってどこで終わるかはわかっている。偏見、それに承認と否認のスペクトラムが、テーマの一部らしいこともわかってきた。これらがすべてひとつにまとまり、クライマックスに行きつくのはどこの場面だろう？　主人公の旅路に最も大きな変化が現れるのはどの瞬間だろう？

エルが偏見（キャラハンの低俗な誘いとビビアンの冷たい反応）に打ちのめされ、冒険をあきらめようとする場面がクライマックスであることは、まずまちがいなさそうだ。「自分じゃないものになろうとするのはもうやめる」とエルは言い、エメットの「だったら自分自身でいればいいいじゃないか」という説得にも耳を貸さない。

そこから脚本は、偏見の深さがどこまで深刻かを明らかにしていく。

「誰も私のことをまじめに見てくれない。ロー・スクールの学生もそう、ワーナーもそう――私の両親ですらまじめに受けとってなんかくれなかった。両親は私が下着メーカーのモデルになって、ロックスターと結婚してくれればいいと思ってた。ここに来て初めて、誰かが私に、下着モデル以上のことをしてほしいと望んでくれたと思えたの。だけどそんなの嘘だった――キャラハンは私を法律家だなんて思ってない。あの人は私のお尻しか見てなかった。ほかのみんなと同じ。私、バカみたい」

エルの旅は終わったかに見えたが、彼女を冒険に引きもどしたのは、ストロムウェル教授の言葉だった。

「あなたがバカ男のせいで自分の人生をあきらめるのなら、あなたは私が思っていたような生徒ではなかったということね」

見つけた（エウレカ）！　これが物語の核心となる問いかけだ！　そもそもエルとは何者なんだろう？　われわれはエルをどう思っている？　そして何より、エル自身は自分を何者だと思っていたのか？　この瞬間まで、エルは世間のブロンドへの偏見を見逃してきた。他者から認められたくて、自分への先入観とも共存してきた。ワーナーの妻に選ばれたかった。着飾ったり食べ物で釣ろうとしたりして、ロー・スクールのクラスメイトと仲よくなろうとした。キャラハンにもどうしても認められたかった。エル自身、不当な犠牲を払っていたのだ。

この瞬間から、エルは自分の星を追いかけはじめる。自分や自分の仕事に責任を持とうとする。エメットとストロムウェルの助けも借りはしたが、エルは自分自身に対する反対尋問をやり抜いて、ストロムウェルの座右の銘、「法は情熱に縁のない理性なり」にも反論する。

ここが、エルの旅路の初めに存在した両極性を、ラストにつなげるターニングポイントだろう。僕が物語の構造を理解し、脚本家をインスパイアした特別な三次元世界に入れたのは、この場面があったからだ。もし自分がこの脚本を上演するとしても、この世界を正確にドラマに移しかえることができると思う。

『キューティ・ブロンド』が一貫した物語として楽しめる仕上がりになっているのは、承認と否認の両極性が、物語のほぼ全場面にわたって活発に機能しているからだ。こうした基本の対立図式を決められれば、それを最大限に活用できるような環境に主人公を配置していける。

『キューティ・ブロンド』を大ざっぱに観ただけでは、ただの馬鹿馬鹿しい滑稽な喜劇にしか見えないかもしれない。しかしいまなら、この作品にはそれ以上の何かがあることがよくわかる。コメディの軽薄さは表向きだけだ。コメディ部分もこの作品の大事な要素だが、この物語がスマートで意味深いものになったのは、偏見と自己受容を核心に置いたおかげだ。

以上が僕の調査による分析である。僕が考えなかったことを、自分のまとめに入れた人ももちろんいるはずだ。ほかにどんな要素が掘り起こせただろうか、そして、その手がかりは何を教えてくれただろうか？

## 考えてみよう

環境的事実の扱いかたを身につけたいま、今度はそこから物語を組み立ててみよう。まず任意の〝日付〟と〝場所〟を選ぶ。そこに〝求めるもの〟を持つキャラクターを追加する。そのあと、その〝日付〟と〝場所〟における社会、宗教、政治、経済の環境を使い、主人公が直面しなければならない障害を構築してみよう。

それができたら、クリスが何度も説明している12のステージに従い、主人公の〈日常世界〉から、〈戸口の通過〉や〈最大の試練〉を経て、決着場面の〈復活〉、そして〈宝を持っての帰還〉まで、劇的な出来事の順序を決めていってみよう。ターニングポイントを決めるのもお忘れなく。

ツールの使いかたは身についたことだろう。それを駆使して、ストーリーテリングの技巧をさらに高めてほしい。

## ボグラーからひと言

よくやった、デイビッド。

物語やキャラクターを多面的に見るこの〝環境的事実〟の手法には、たくさんの面がつながってひとつの繊細な形を作る、クリスタルの原石のような美しさがあると思う。

実際にこのツールを使う訓練をすればそれがわかると思うし、考えを明確化する(クリスタライズ)のにも便利だ。物語をあらゆる観点から理解できたと実感すると最高の気分になれる。完全にピントが合ったスナップ写真のようで、物語が本当に生きているように感じられる。

異なる階層から理解できるというばかりでなく、そのすべてが相互につながり、人間関係や対立勢力のネットワークを生き生きと形づくっていることがわかるはずだ。

# 第23章　ボードビルから学んだこと

ボグラー

映画やラジオやテレビが出現する前の時代、娯楽はボードビルのショーが提供していた。ボードビルとは、全米やカナダの劇場を巡回していたステージで、歌手、ダンサー、曲芸師、動物使い、手品師、シリアスな芝居の役者、コメディアンなど、あらゆるパフォーマーがさまざまなショーを見せてくれるもののことだ。これら無関係の出し物を一貫した一夜の娯楽にまとめるために、劇場の支配人は〝上演演目の順番決め〟と呼ばれる技能を身につけ、観客を満足させられるようなショーにするために、一定の順序でプログラムを決めていた。多くのボードビルは失われてしまったが、観客の感情や期待に応える(こた)ための手法を、いまもたくさん伝えてくれている。この章では、支配人がどうやって出し物の順序を決めていたかを書いてみる。楽しい午後や夜の娯楽を生みだすために、そこから何か学べるものはあるだろうか。

ああ　大当たりのショーだったわ／Oh what a hit we made
私たちは最後のひとつ前に登場して／We came on next to closing
恋人として最高の出し物を演じたけど／Best on the bill, lovers until
仮面を取れば　愛は冷めるの／Love left the masquerade

『シャレード』作詞　ジョニー・マーサー

これは映画『シャレード』（一九六三年）のテーマソングの一節だが、これが私を、もうひとつの物語の宝、忘れられたボードビルのノウハウと出会わせてくれたのだ。かつて私は、この歌詞の〝next to closing〟〝best on the bill〟というフレーズに首をひねった。どうして〝最後のひとつ前（came on next to closing）〟なんだろう？　〝お勘定（bill）〟のどこに〝最高のもの（best）〟があるんだ？　なんのお勘定だろう？　恋人たちが仮面を使った何かを舞台で演じたらしいことは、別の一節の〝暗い舞台袖〟で〝ピアノが鳴っている〟という歌詞からなんとなくわかったが、このフレーズの正しい意味は私にはよくわからなかった。

サンアントニオの劇場で演じるようになったとき、私はキャリアの長い役者たちにその歌のことを訊いた。ひとりのベテラン役者が〝best on the bill〟〝next to closing〟の正確な意味を教えてくれた。古くからの華やかな伝統のあるボードビルの用語だという。

〝bill〟とは〝playbill〟、つまり劇場の前に毎日貼りだされる演目の広告のことで、その夜に演じられる順序で出し物を書き並べた、娯楽のメニューのようなものだ。その夜のボードビルで最高の〝出し物（billing）〟、つまりパフォーマーの視点からすれば最高の出番は、最後ではなく、最後からひとつ前なのだ。私と同じように、いちばん大事なものは最後に来るものじゃないかと考える人も多いだろう。ラストで盛大なフィニッシュを見せ、観客を喜ばせて帰らせるものじゃないのかと。最大かつ最高の見世物は、普通は最後にとっておくものじゃないか？

実を言うと、私の演劇の教師も、いちばん望ましいのは最後のひとつ前で、そこがその夜の本当のクライマックスなのだと教えてくれたことがある。

最後のひとつ前の出し物が、観客に最高潮の感情や感覚を味わわせ、歓喜の瞬間や大爆笑の快感をもたらす。

最後の出し物には違う目的がある。ざわついて気もそぞろになり、劇場から帰る気分になった観客を、騒々しく生き生きとした最後の出し物で圧倒するのだ。

花形スター、つまり〝今日の目玉〟は、プログラムのおしまいから二番めのいちばんいいところに出てきて、観客に最高の興奮をもたらし、強力なパフォーマンスでノックアウトする。

アンコールや何度かの挨拶（あいさつ）ののち、スターは舞台を去るが、そのあいだも観客はまだ興奮しているので、バンドが最後の演目の派手な演奏を始め、愛国的な曲をやったり、人気ソングをみんなで歌ったりして、観客を満足させて帰すのである。

のちに映画の脚本を書いたり批評したりするようになったとき、私は〝最後のひとつ前〟に当たる場所が脚本にも存在することに気づいた。脚本の最重要場面は、通常はいちばん最後ではなく、ラスト直前の場面であり、そこで緊張感は最高潮に達し、主人公がすべてを賭(か)けて運命のサイコロを振る。私はボードビルにほかのヒントが落ちていないかも探しはじめ、やがて〝上演演目の順番決め〟、つまり、満足のいく娯楽の一夜を取りまとめるためのテクニックがあることに気づいた。

## 支配人の役割

ボードビルの初期の時代、その夜の出し物とその順番を決めるのは地元劇場の支配人の仕事で、彼らはさまざまなこつを知っていた。

その後ボードビルは、大都市のシンジケートが運営する、おおぜいのパフォーマーを抱えた巨大産業となり、本部オフィスが演目を決めるようになったが、現場での権限は依然として地元の劇場支配人に残された。

マンハッタンの本部が決めていた一座が列車に乗り遅れたり、ダルースでの滞在が延びたり、酔っぱらってデモインに現れたりした場合は、現場の支配人が出し物の最終判断を任されることになる。

## ショー・マスト・ゴー・オン

その日列車から無事降りてきた一座の演目から、地元の劇場支配人がその夜のプログラムを決めなければならない場合もたびたびあった。

アメリカとカナダのボードビルは列車システムに支えられていて、パフォーマーはたえず旅をし、北米のあらゆる街にある無数のボードビル劇場に、新鮮な娯楽を提供していた。ダンスをするロバの列車が遅れたり、花形ソプラノ歌手が列車に乗れなかったりした場合でも、支配人は古くからの劇場の鉄則として、なんらかの上演演目をまとめなければならない。ショー・マスト・ゴー・オン！　通りへ出ていって、自転車の曲芸ができる子どもをつかまえてきたり、オーディションで新たな地元のタレントを探したり、引退したパフォーマーに重い腰をあげてもらったり、とにかく大あわてで何か集めてこなければならない。どうあろうとショーをやるのが支配人の仕事だ。ジョージ・バーンズとグレイシー・

アレンのコメディコンビは、期待されていた演目が上演できない〝がっかり〟時用の穴埋め演目で評判を確立したし、そんなふうにしてショーをつなぎ、人気が出たスターもたくさんいる。

劇場支配人は、いまのエンターテイナー世代からはすっかり忘れ去られたものの、伝統芸術のショーマンシップや、さまざまな技能を備えた熟練のプロだった。現実的な事業家にして鋭い心理学者、さらに裏方の職人もこなしたが、もとより彼らは芸術家だった。支配人たちのキャンバスは舞台であり、絵筆はそこで演じられる出し物で、人の感情に訴える最大級の演出効果を生みだせるようなプログラム編成をおこなった。

何世紀にも及ぶ伝統的な劇場体験が残した、エンターテインメント設計の明確な原理に従い、論理的な進行になるように演目を組んでいたのだ。

## コントラストの原理

支配人が考える、何よりも大事な演目序列原理とは、交互にやる、コントラストを見せるということだ。そもそもボードビルは〝さまざまな取り合わせ(バラエティ)〟をひと晩で見せるものであり、多種多様な娯楽が味わえるお楽しみメニューのようなものだった。演目がそれぞれに違えば違うほどうまくいくもので、コントラストや多様性をできるだけ示す必要がある。世界中の芸術家たちが気づいていたことだが、コントラストは芸術効果を高める働きをする。沈黙は、騒音と対比することで、ますます深い静けさを感じてもらえる。色相環の反対側の色、つまり、青とオレンジ、赤と緑、黄色と紫といった補色同士の対比は、色のあざやかさを際だたせてくれる。絵画でも舞台装置でも、こうしたコントラストのある場所が、いちばん人の目を惹きつける。

劇場支配人の場合は、たえず演目や感情的なトーンに変化が見られるように心がけながら、その夜の演目を決めることが鉄則だった。ドタバタコメディの寸劇など、騒々しく熱狂的な演目のあとは、ソロ歌手にバラードやセンチメンタルな曲を歌わせる。深刻なものと滑稽なもの、スピーディなものとスローなもの、大きなものと小さなもの、音楽の演目と短い芝居、体を張った激しいコメディとウィットに富んだ言葉のユーモア、こうしたさまざまなタイプの演目が、コントラストをつけながら進行表に並べられる。

コントラストの原理を実行するのには、ひとつ現実的な理由があった。

交互にやる演目のうちの片方、〝舞台前面の演目〟は、ソロもしくはデュエットのパフォーマンスで、幕前でフットライトに照らされて演じられる。もう片方の〝フルステージ演目〟

は、パフォーマンス空間をすべて使い、ときには趣向を凝らしたセットも用意して、たくさんの人々や動物が舞台中を飛んだり跳ねたりする。幕をおろしてこぢんまりとした演目を見せながら時間を稼ぐあいだ、裏方が次の演目の背景や大道具や小道具を設置するというわけだ。

〝フルステージ演目〟と〝舞台前面の演目〟を交互にやることで、映画のロングショットとクローズアップ効果と同様に、パフォーマンスのスケールの変化で視覚的な多様性を生みだすことができる。

## ディズニーとコントラスト

ウォルト・ディズニーもボードビルの熱心なファンだった。突然カンザス・シティの劇場の舞台でバランス曲芸を演じ、父親を仰天させたこともあるという。ボードビルのリズムや伝統、とりわけコントラストの原理を余すことなく体得し、それをのちのアニメーションやアクション映画に忠実に応用した。どんなディズニー映画を見てもこの発想が機能しているのは明らかで、広く画面を使った動きの速い場面と、キャラクターのクローズアップを使っておだやかさと親近感をかもしだす、〝舞台前面の演目〟に相当する場面がコントラストになっているのがよくわかる。

とりわけ『ファンタジア』の構造には顕著にあらわれている。音楽のパートは無作為に並べられがちなところだが、熟練のエンターテイナーのディズニーはコントラストの原理に従い、速いものとスローなもの、まじめなものと楽しいものをどれも交互に並べ、感情の高まりを満足させるような作りに仕上げている。

**応用**――コントラストの原理は現代のストーリーテリングにも活用できる。自分の〝演目〟、つまり場面や章が同じことのくり返しになるのを避け、追跡シーンやラブシーンを続けて並べたりしないようにして、〝ジョー〟のリズムやペースをたえず変え、観客の興味をそらさないようにする。ある場面が思いどおりの感情的効果を生んでいないと感じたときは、前の場面とのコントラストを強め、インパクトを大きくしてみると効果的だ。

あざやかなコントラスト、交互にやってくる緊張とリラックスの連続は、観客の気持ちを盛りあげる。休みなしの緊張はすぐに観客を疲れさせてしまうが、比較的落ちついた時間が交互にやってくれば、観る側にも気分を立てなおす余地があり、次の緊張感を楽しむ準備ができるはずである。

## 目玉商品の配置

どんなボードビルショーにも、目玉商品、すなわち名の知れた人気スターや、観客を動員できる演目が必要だ。こうした演目は、プログラム上いちばん望ましい重要な位置、つまりラストのひとつ前に自動的に置かれていた。支配人は、この重要なパートの配置を中心に、使えるほかの演目の順序を決め、その夜のショー全体が目玉商品の演目の感情的効果を支えるような構成を考えた。

目玉となる演目が大物の喜劇役者である場合、ショーの全体の雰囲気も楽しげなものになるが、甘くセンチメンタルな演目やまじめな演目も、コントラストとしてあちこちに配置することになる。コメディはつねにボードビルの要ではあるが、ときには〝まっとうな〟劇団のまじめな役者が目玉になることもあり、シェイクスピア劇のハイライトを演じたサラ・ベルナールのような悲劇女優、ジェニー・リンドのような有名なオペラ歌手などはその典型だった。こうした目玉となる演目がある場合は、異なる演目のバランスが必要となり、いくらかまじめな、あるいは上品な雰囲気が用いられ、その夜のクライマックスに向け、洗練された高揚感を観客にもたらす工夫がなされていた。

とはいえ、コントラストをつけ、息抜きとするために、高尚な雰囲気を現実に引きもどすような騒々しい喜劇もおこなわれ、〝台詞なしの演目(ダム・アクト)〟と呼ばれる対話に頼らない出し物や、身体的な表現の喜劇などが挿入されていた。喜劇俳優のバスター・キートンは、こうした演目をやる子どものパフォーマーとしてボードビルの世界に入り、台詞(セリフ)がほとんどない〝ドタバタ〟喜劇の舞台で、芸人の父親にコミカルに振りまわされたりしていたという。

**応用**――自分の書く物語のクライマックスがどういうものかを考え、それに従って物語構造を組み立ててみよう。脚本や小説に織り込む要素の選択は、つねにクライマックスを意識しながらおこなわなければならない。これはクライマックスを支える力になるだろうか？自然かつ意外な形で、物語の緊張感や劇的場面のピークに持っていけるだろうか？　物語の全体のトーンは、ラストの前の場面において、望ましい感情的な効果をもたらす助けになっているだろうか？

イギリスのミュージック・ホール（アメリカのボードビル劇場に相当）で演技の技術を磨いたチャーリー・チャップリンは、観客が〝大笑いして少し泣く〟、もしくは〝大泣きして少し笑う〟ような映画を創ろうと努めていた。物語がシリアスでもコミカルでも、中心となるほうの感情が作品を圧倒して飽きてしまうことがないように、もうひとつの感情でコントラストを生み、全体的な感情のバランスを的確にとっていた。ドラマ過多では重すぎる作品になってしまうので、息抜きで話をふくらませる必要があるし、喜劇ばかりでも軽薄になるので、現実的な危険や悲しみなどの重みをつけ、喜劇にスパイスを利かせる必要がある。

## プログラムの肉づけ

目玉の演目を確保し、ショーの全体的な方向性が決まったら、次の支配人の仕事はプログラムの空白を埋めていくことだ。プログラムの順番の各位置は、それぞれにきちんと目的を持っている。一般的なボードビルショーは、八つか九つの演目と休憩時間で構成される。通常は、後半のパートを前半より短くして、花形スターの登場を待っている観客を飽きさせないようにする。一日に数度の上映をおこなう現代の映画館のような形で、休憩を入れない短めのプログラムが一日三回上演されることもある。この公演方式の場合は、演目は五つか六つで休憩なしとなるが、プログラム決定のルールは通常と変わらない。

演目は次のように決められる。

① **オープニング**は騒々しく元気のいいものでなければならず、台詞がほとんどない、またはまったくないことが望ましい。これには現実的な理由がある。座席を探していたり、いま座ったばかりという観客が多いことを想定しているのだ。手品やアクロバット、道化師や動物の演目など、いわゆる〝台詞なしの演目（ダム・アクト）〟が舞台全体を使っておこなわれる。パフォーマーの側からすればステータス（地位）の高い登場場面ではないが、それでも重要な目的を持つパートである。

**応用**――イングマール・ベルイマンのような作品にしたい書き手は別として、始まりを視覚的なものにし、場所を伝え、世界を特定し、キャラクターを紹介するというのは、物語の作法としてもいいやりかただ。ロングショットの視点を使うべきパートだ。緊張感のあるクローズアップの会話シーンは最初のうち少し抑え、観客が席に着くのを待とう。方向性を示し、キャラクターの行動や彼らの住む世界を観察してもらい、登場人物のことを知る時間を観客に与えよう。

最初のうちは、観客が日常の心配事を忘れ、主人公の〈日常世界〉に入ってきてくれるよう努める。観客を魔法にかけ、トランス状態に引き込むような場面を生みだすのだ。観客の気持ちをすぐさま引きよせるためには、ドラマティック、エキサイティング、エキゾティックな何かが必要になる。ボードビルショーでは、手品師の演目がオープニングを飾ることも多い。台詞もほとんどなしで、観客が驚くような空気を作ってくれる。

② **二番めの演目**は少しステータス（地位）が上がる。ここには通常、〝舞台前面の演目〟、つまりひとりか二人のパフォーマーが歌やダンスをやったり、幕前でコメディ寸劇を演じたりし、そのあいだに裏ではあわただしく舞台装置が入れ替えられる。ここは最初の出し物よりもおもしろいものでなければならず、言いかえれば、前の演目を〝しのぐ〟必要がある。理想を言えば、続けておこなわれるどの演目も、クライマックス＝〝最後から二番めの演目〟まで、つねにレベルを上げていくのが望ましい。

**応用**――〝つねに自分を超えていけ〟というのは、ボードビルを含め、あらゆるショービジネスに古くからあるルールのひとつだ。観客につねに「これはすごい！　これ以上のものなんてできるはずがない！」と思わせ、そしてさらにそれ以上のものを見せる。ひとつひとつの冗談やギャグ、追跡シーンや戦闘シーン、緊張感漂う感情的な対立場面、どれもが前のものを超えながら、クライマックスに向かって着々と進んでいくべきなのだ。

一度当たりをとったボードビルのパフォーマーが、一年たって同じ街の劇場に戻ってくる場合、観客がまた同じ演目を期待していることがわかっていても、去年以上の新しい題材で自分を上まわる義務がある。勝利の連続、つねに過去を上まわるパフォーマンスが、偉大な実績を築く。誰にでも避けられない失敗や努力不足はあるものだが、芸術家はつねに自分を磨き、観客をさらに喜ばせる努力をしなくてはならない。

物語における二番めの演目に相当するのは、観客が物語の方向性をつかみ、主人公の求めるものに感情移入し、どんな大きな力が介入してくるのかを認識するパートである。オープニングは華々しくしてかまわないが、次に来る場面は、もう少し人間くさく親近感のあるものにして、コントラストを作り、観客が物語の感情的な流れに入っていけるようにする。
③ **三番めの演目**は、通常のボードビルショーでは舞台全体を使い、観客がその世界にどっぷりと浸れるような演目が登場する。家か仕事場を舞台にしたスケッチ調の喜劇、ビッグバンドとダンサーによる数曲のパフォーマンス、ブロードウェイの芝居の要約バージョン、曲芸師や象やシマウマが出てくる精巧なサーカスなどが多い。

**応用**――物語が主人公と観客のあいだに感情の接点を生みだせたら、いよいよ新しい世界、新しいステージへと乗りだしていく。〈ヒーローズ・ジャーニー〉では〈戸口の通過〉に当たり、〈特別な世界〉へと入っていく場面である。

④　**四番めの演目**は重要なパートである。休憩前のラスト演目のひとつ前に当たり、ショー前半のクライマックスになるからだ。二番手の花形スター、大物人気歌手やコメディアンなど、後半のクライマックスに出てもおかしくないパフォーマーが登場してくることが多い。コントラストの原理に従い、前の演目とは異なる感覚のものにするために、通常は少人数でじっくりと演じる〝舞台前面の演目〟となる。観客が息をのむもの、スリリングなもの、あるいは大笑いになるようなもので、強烈な締めくくりが必要なパートである。

**応用**――エンターテインメント作品には、最低でも二つのクライマックスが必要だ。ラスト近くの見せ場はもちろんだが、中盤のどこか、あるいはもう少し後ろのほうに、少し軽めのクライマックスがもうひとつあるといい。〈ヒーローズ・ジャーニー〉では〈最大の試練〉に相当する。四番めの演目はショー前半のクライマックスであり、そこまでのすべての演目を上まわるものでなければならないが、後半のクライマックスまでかすませてはならない。

⑤**五番めの演目**のころには、休憩したくて気が散っている観客もいるので、四番めの演目ほど魅力的である必要はないが、それでも前半を派手に終わらせるようなものを慎重に選ばなければならない。たいていはステージ全体を使い、アップビートの派手なショーで観客を楽しませてから休憩に入るか、人を驚かせたり感覚に訴えたりするような効果のある出し物をやり、これから休憩する観客におしゃべりの話題を提供したりする。休憩自体も重要な時間だ。観客は休憩中に動きまわったり、ここまでのショーについて語りあったりして、残りのパフォーマンスを楽しむためのエネルギーを取りもどす。

**応用**――〈ヒーローズ・ジャーニー〉の〈報酬〉に相当するパートで、主人公が死や恐怖を乗りこえたことを祝う場面だ。報酬の場面は観客やキャラクターに回復の時間を与え、最後の演目に向かう前にひと息つく場でもある。食事の場面となることも多く、キャラクターはここでエネルギーを吸収したり、起きたことを消化したりする。

⑥ **六番めの演目**は後半の幕あけで、ショーのエネルギーの流れを再び確立する重大なパートである。〝舞台前面の演目〟によってすばやく観客を座席に戻らせ、舞台に注目させようとすることが多い。ソロのミュージシャンの演目か、台詞のない喜劇などが登場するが、エネルギーとスピードを感じさせる必要がある。その夜のショーのペースを上げ、食事をして眠くなったり家に帰りたくなったりしてきた観客を圧倒するためだ。

**応用**――〈ヒーローズ・ジャーニー〉では〈帰路〉が最終幕の始まりとなることもあり、ここで六番めの演目と同様にスピードを上げ、新たなエネルギーをもたらす。ここで追跡シーンが登場する映画が多いのもそのせいで、ゆるんだ観客の気持ちを、危険やサスペンス、動きの激しさなどでよみがえらせる、頼りになる手法である。

⑦ **七番めの演目**では、再びフルステージで、大がかりなコメディタッチの素描劇や、人気芝居の要約版をおこなうのが一般的だ。この演目はしっかりした内容のものが求められ、安定した満足のいくメインディッシュとなるが、このあとに続く演目が特別なもてなしとなる余地を残している。

**応用**——映画においては、激しい追いかけっこやアクション場面のあとのパートで、中身の濃いドラマティックな場面が必要なこともある。主人公の内面の旅路をピークに持っていき、そこまでにあった同様のシーンを上まわるものにしたい。

⑧　パフォーマーがいちばん出たいはずのパートである**最後のひとつ前**、すなわち**八番めの演目**にようやくたどりついた。九演目制のショーではいちばん観客動員力のある、最高の出し物である。これこそ観客がその夜ずっと期待してきた、本当のクライマックス場面である。内容がなんであれ、センセーショナルで最高級の演目、ここまでのショーで演じられてきたすべてを超越するものでなければならない。ショーを中断するほどの喝采（かっさい）が起きる独唱曲、ドラマティックな出し物、爆笑必至のコメディなどが登場するが、この演目がここまでのほかの演目を圧倒できなければ、ショー全体がひどい失敗と見なされる。よく練られたショーであれば、ほかのすべての演目が呼びさました感情を、この演目がさらに鳴り響かせ、その神がかった一瞬がショー全体を総括するような構成になっているはずだ。

**応用**——物語におけるラスト直前のパートは、この八番めの演目と同じ重みや重要性を持つ。最高の素材を使って自分自身を確実に乗りこえていかなければならない瞬間、書き手やキャラクターの最高の瞬間であり、緊張感とサスペンスがピークに達し、アクションやコメディの大爆発が起きる地点である。ここまで物語を築くなかで書き手が盛りあげてきた感情や緊張感のすべてが、ここでついに最後の解放状態に達する。そのパワーが実際に観客を変えてしまい、自分の新たな可能性に気づかせたりすることもある。

⑨ **九番めの（最後の）演目**は、最初の演目と同じぐらいステータス（地位）の低いパートだ。観客は観たかったものをすでに観終わり、劇場を出ていく準備を始め、あたりはざわついている。とはいえ、ショーをきちんと終わらせるという仕事はほかの演目と同じくらい大事であり、華やかなスタイルで、騒々しい色とりどりのスペクタクル演目を披露し、贅沢なエンターテインメントを締めくくる印象的な空気で舞台を埋め尽くす。愛国的な曲を演奏したり、全員で合唱するのも効果的で、観客に最後の一体感を与える。ショーの出演者全員が舞台に登場し、最後の挨拶をすることも多い。ただし、締めは短めにし、観客がエンターテインメントの魔法の泡に包まれているうちに、夜の帰り道へと送りだしてやるのが賢明である。

**応用**──物語がクライマックスまで終われば、そのあとのルールはこれだ──できるだけ早く舞台をおりろ。ただし、大団円、つまり、決着をつけたり、教訓を語ったり、プロットの最後の細かい部分を解決したりする場面の時間はあるし、それも必要だろう。少し先の話にして、クライマックスにおける主人公の勇気ある決断が、のちにどんな影響を与えたかを見せてもいい。観客に旅のみやげ物を贈るような、ちょっとしたもてなしの部分にしてもいいし、未来の冒険を広い視点で伝える場にしてもいい。ただし、どうするにしてもあまり長引かせないほうがいいし、すぐにステージから立ち去り、魔法の泡をすぐに消してしまわないようにすべきだろう。

## 実践に移す

視力をよくするための一週間のワークショップに参加したとき、私はボードビルについて学んだことを試すチャンスに恵まれた。ワークショップのリーダーはピーター・グルンワルドという頭脳明晰な人物で、ゲームやエクササイズや訓練ドリルを使った創意工夫がうまかった。ワークショップが始まって数日たったころ、その彼が突然、今夜はみんなでボードビルショーをやると言いだした。われわれは昼食と夕食のあいだに司会者を決め、その夜のバラエティのプログラムをまとめ、各自で手品、歌、ダンス、楽器演奏、物語の朗読、ジョーク、寸劇などをやることになった。

みんな私がショービズ業界の人間だと知っていたので、満場一致で私が司会に選ばれたが、ボードビルの劇場支配人役も務めることになるのはわかっていた。幸い、ボードビルの本を読んだばかりだったので、何をすべきかはちゃんと頭に入っていた。その午後いっぱい、私は仲間たちにどんな出し物ができるかを訊いて回り、どうやって順番を決めれば理にかなったいいものができるかを考えた。

ボードビルショーのプログラムのルールにのっとり、まずは〝最後のひとつ前〟に出てもらう花形スターの演目を決めることにした。ぴったりな演目はすぐに見つかった。教会のキャンプを仕切った経験のあるメンバーがいて、他者の精神の発見をうながす歌を歌ってくれることになった。歌い手が観客の誰かを呼びよせ、その人に向けて歌いながら、その人の内面にある神聖さに敬意を払い、受け入れることを示すジェスチャーをする。そのあと最初の歌い手は、自分の選んだ観客に指示して、さらに別の観客を選ばせ、同じ歌を歌ってジェスチャーをしながら輪に加わらせる。そんなふうにして、ステージ全体に全員の大きな輪ができるまで続ける。感情をかきたてる出し物になりそうだし、ボードビルショーのクライマックスにはいかにもふさわしく思えた。

その午後はずっと、ボードビルのコントラストの原理に従い、ほかの演目の順番を決めることに熱中した。コメディのあとはまじめな演目、〝舞台前面の演目〟のあとは〝フルステージの演目〟が続くようにも注意した。ショー全体のトーンについても考え、笑いを多めにして、涙は少なめに抑えた。力強いオープニングでスタートし、そこから徐々に盛りあげ、笑いや緊張感を増し、クライマックスで最大のインパクトを与えるようにした。

効き目は魔法のようだった。その夜の大半にわたって自分たちの馬鹿馬鹿しい出し物に笑い転げたあとは、全員で教会のキャンプソングの単純な儀式に深く感動した。最後に参加者のひとりのリードで、シンプルな歌をみんなで合唱し、これが完璧(かんぺき)な仕上げとなった。楽しませてもらったという気持ちと、何かに参加したという気持ちを感じながら、全員幸せな気持ちで眠りにつくことができた。

自分のボードビルショーをプロデュースするというのはまれな経験ではあったが、このボードビルのツールは、私が大予算のハリウッド映画の分析をするときもつねに活用している。

ボードビルが失われてしまったことを嘆く人々はたくさんいるし、特にその黄金時代を生きたパフォーマーはそうだが、ボードビルはただラジオや映画やテレビ番組に形を変えただけで、本当に死んでしまったわけではないと言う人々もいる。どちらにしても、その命はいまだにわれわれのショービジネスの言語のなかに息づいていて、バラエティを楽しみたいという人々の永遠の欲求に応え、満足のいくエンターテインメントのひと晩を生みだすために機能してくれているのである。

## マッケナからひと言

この章と、次の〝興行師の熟練の技(ショーマンシップ)〟を語る章は、僕がこのビジネスを始めたばかりのころのことをノスタルジックに思いださせてくれる。テレビで放映される映画を観て育った僕のヒーローは、『ヤンキー・ドゥードゥル・ダンディ』のジェームズ・キャグニーだった。後年ブロードウェイのスターとなる、ボードビリアンの少年の人生を描いた話だ。これぞ僕が生きようとしていた人生にほかならない。

僕が芝居を学びはじめたのは、ロバート・ラドラムが経営していた専属劇場、プレイハウス・オン・ザ・モールでのことだ。ボブ、つまりラドラムが作家に転身する何年か前のことで(彼はその後〝ジェイソン・ボーン・シリーズ〟で知られるベストセラー作家となった)、ボブのショービズに対する荒々しい情熱を見ていると、この人も僕と同じ夢を見て育ったのだなと感じずにはいられなかった。メル・ブルックスの映画『プロデューサーズ』が公開されたばかりのとき、主人公の金目当てのプロデューサーにちなみ、ボブが〝マックス・ビアリストック〟と改名したこともある。

ボブは、この世界で生き残るためには観客をどう動かせばいいかを、細胞レベルで理解している人だった。演目に対して観客が少なすぎるときは、自分で後ろの列に陣どって笑いの勢いをつけようとした。出し物が終わる直前にはオフィスを飛びだしてきて、カーテンコールを少しでも大きくしようとし、陰から「ブラボー」と叫んだ。人の自尊心をおだてすかすことに長け、タイミングよくかんしゃくを起こし、そして、よく見れば安っぽいが、照明の魔法のおかげで崇高に見えるステージの世界に、安給料の若者たちを招き入れる手ほどきをした。

ボブの劇場の目玉は、年に一回巡業でやってくる、アン・コリオの『ディス・ワズ・バーレスク』だった。ミズ・コリオは背の高い美女で、その扇情的なダンスナンバーで一九三〇年代のニューヨーク市長フィオレロ・ラガーディアを怒らせ、当時のハーバードの学生をことごとく虜にした。全盛期はさぞかし美貌（びぼう）の女性だったに違いない。僕が彼女に会ったころは、僕の祖母とさして変わらない年齢になっていたが、それでもラストのひとつ前の演目として、胸を揺り動かすストリップ・ナンバー（これがとにかくエロティックなのだ）を演じられるだけのステージ勘を失っていないことには驚かされたものだ。

ミズ・コリオの一座には、歌手、コーラスガール、ストリッパー（彼女の演目に加わる、ニシキヘビのようなすばらしいダンサーたち）、スター・コメディアン、ボケ役や引き立て役のコメディアンなどがいた。専属の菓子売りまでいて、あんなに客寄せ口上のうまい売り子は見たことがない。ボードビルの伝統を叩き込まれた人々ばかりで、観客の目の前でやるむこうみずなパフォーマンスと同じくらい、舞台裏でのふるまいもきちんとしつけられたものだった。

当時の僕はニュージャージーの郊外に住む青臭い十六歳の子どもだったが、毎年一か月間は、ボブ・ラドラムとアン・コリオが『ヤンキー・ドゥードゥル・ダンディ』の世界へ僕を連れていってくれた。僕があそこで見て学んだものは、クリスがすべてこの章に書いてくれている。

僕がボードビルから学んだことを、簡潔に説明してみよう。

僕や読者の皆さん（ストーリーテラーとしての使命を受け入れてくれた皆さん）もまた、ストーリーテリングやパフォーマンスが生まれたときからずっと続いている伝統の一部だ。僕らは人間という名の物語だ。すでに失われてしまったものを知ることにも、ハングリーになるべきだと思う。その知識が、きっと僕らの進む道を照らしてくれるはずだからだ。

# 第24章　ショーマンシップ

ボグラー

ボードビルの知識の宝庫にはまだいろいろなものがあり、現代によみがえらされて活用してもらうのを待っている。地元の劇場支配人のショープログラム編成スキルは、かつては〝ショーマンシップ〟と呼ばれた、もっと広い領域にわたる技巧の一部に過ぎない。ショーマンシップには、才能への嗅覚（きゅうかく）やタイミングの感覚、どんなことが観客を喜ばせるかを見抜く感覚だけでなく、地域との関係構築など、ほかの雑多な能力も含まれていた。〝広報活動（パブリック・リレーションズ）〟、いわゆるＰＲもボードビルの重要なパートであり、支配人は地域社会の生活リズムや嗜好（しこう）を学び、自分の劇場をその地域の文化に溶け込ませようと必死に努力した。劇場自体も地域社会の財産になり、宗教や愛国的な催し、地域のクラブの会合などもおこなわれる場所となった。

また、ショーマンシップには、これから始まるショーのため、さまざまな技巧を駆使して期待や興奮を生みだすという仕事も含まれていた。サーカスの一座と契約した支配人は、列車から動物をおろして催しの会場へ運ぶ作業を、劇場までのパレードに変えたりした。大物パフォーマーが駅に着くと、文字どおり、劇場オーケストラによるファンファーレの歓迎を受けた。高揚感のあるドラムの音が、ビッグスター到着の何週間も前から街に流れたりした。大物スターへの期待をかきたてるため、あらゆるイベントの計画が練られ、そのスターのそっくりさんコンテストや、代表曲を歌う集まりなどがひらかれたりする。

ボードビルのショーマンシップの多くは映画文化にも引き継がれ、第二次世界大戦後のショーマン、セシル・B・デミルやジョーゼフ・E・レヴィン、サミュエル・Z・アーコフらは、ボードビルの華やかな伝統的手法で、映画や映画スターを売り込んでいった。デミルがエジプトを題材にした映画を宣伝したときには、エジプトの衣装を着た俳優たちを劇場のロビーに配置し、外にはエジプト式の二輪戦車を置いた。公開の何週間も前から、映画の周辺知識をまとめた〝学習ガイド〟を、地元の学校や教会に配布したりもした。高校のバンドには、映画のテーマ曲の楽譜が配られた。

レヴィンは、イタリアから『ヘラクレス』という安っぽい神話ものの映画を買い入れ、巨人の大げさな広告（「世界一の巨人の、巨大な物語！」）や宣伝用の仕掛けを広めてヒットさせ、のちに無名の日本のSF映画『ゴジラ』の配給にも同じ手を使った。観衆心理を知りぬいているレヴィンは、当たらなかったオーストラリア映画のタイトルを『楽園への道行き（Walk Into Paradise）』から『地獄への道行き（Walk Into Hell）』に変え、それだけで大ヒットにこぎつけた。

ロジャー・コーマンやジェームズ・H・ニコルソンのパートナーでもあったアーコフは、

記憶に残る多数のジャンル映画を製作し、大勢の役者や監督を世に送りだした。彼が自分の姓のアルファベットで作った興行収入の成功をおさめる鉄則、〝アーコフの方程式〟というものも存在する。

**A・R・K・O・F・Fの方程式**

**A アクション（動き）**——スリリングで目を奪うドラマ
**R レボリューション（革命）**——新しい大胆なテーマや題材
**K キリング（殺し）**——悪趣味にならない程度の暴力
**O オラトリー（弁舌）**——良質の会話、耳に残る台詞（セリフ）
**F ファンタジー（夢想）**——観客の願いや夢想の実現
**F フォーニケイション（密通）**——セクシーさ、特にヤングアダルトに訴えるもの

よく練られたボードビルショーのプログラムのように、アーコフの方程式にはさまざまなコントラストがあり、誰でも何かを楽しめるようになっている。
今日のショーマンシップとは、新しいテクノロジーの活用や、賢いブランドづくりとマー

ケティングを意味するものではあるが、かつての劇場がやっていたように、人の関心や期待をかきたて、新たなセンセーションを体験したいという気持ちを煽る手法も、いまなおすべて引き継がれている。テクノロジーの世界においても、かつての興行師による〝力ずく〟の技巧、たとえば公の場で曲芸やスペクタクルを披露したり、これから上演される演目への関心を地元レベルで引きおこしたりといった手法は、テクノロジーだけでは刺激できない原始的な感情を目覚めさせるのに役だっている。

ショーマンシップとは即興的で日和見主義的なものでもあり、作品を売り込むためにはネガティブな宣伝を利用することさえある。バート・ランカスターは、アクション映画『怪傑ダルド』の撮影の際、スタントを雇ったことをマスコミに非難された。そのことに反撃し、なおかつ作品への注目も集めるため、ランカスターは、映画の共演者で友人でもあるニック・クラバットとともに、難度の高いサーカス・スタントの公開デモンストレーションをおこなった。両者はサーカスでともに育ってきた幼なじみであり、彼らの驚異的な公開スタントは、マスコミの非難を大がかりな映画の宣伝へと変えてしまった。

ショーマンシップは、見かけ倒しの素材を誇大広告で売り込むということではない。真の興行師は、良質の作品、壮大なスペクタクル、緊張感に満ちたドラマ、爆笑コメディ、あるいは世間が求めるような特別な才能など、価値のあるものをきちんと提示している。マーベル・コミックス社のスタン・リーは、作品の宣伝に野心的な誇張や攻撃的な頭韻法(とういんほう)を使うことで知られるが、そのとっぴなスタイルも、生みだす作品が良質だからこそ認められているのだ。現実的なキャラクターと生き生きとしたコミックの絵柄で、実に楽しい物語を生みだしており、彼の宣伝スタイルは、作品やそれを創る芸術家たちへの純粋な情熱の表現なのである。

## 売りたいのはベーコンじゃない

あるプロジェクトで、スタン・リーと仕事をする機会に恵まれたことがある。彼が私に明かしてくれたショーマンシップの一部を、ここにも記しておこう。私が提示したマーベル作品の脚本の変更案に、スタンは反対しつづけた。あまりにも細かくて限定的すぎるというのが理由だとわかったのは、ずいぶんたってからのことだった。「売りたいのはベーコンが焼けるジューッって感覚(シズル感)で、ベーコンそのものじゃないんだよ」というスタンの言葉は、マーケティングの哲学そのものを正確に言いあらわしていると思う。彼が求めるのは、もっと普遍的な、何かをかきたてるようなものなのだ。細かいところに足をとられるのではなく、そのプロジェクト独自の感覚を生みだすようなものだ。プロットの概略を一歩一歩示すのではなく、あらゆるすばらしいもののイメージを送り届けるものだ。映画会社の幹部は細かいストーリーもたやすくけなす、とスタンは言った。だからこそ、何か熱いもの、大ヒットの匂いがするもの、たとえ料理がすべて揃ってなくても感覚を刺激するものが必要なのだ。売り込みの手法は別としても、これもひとつのショーマンシップだ。スポンサーになってくれそうな相手や観客に対し、作品を魅力的に見せる手だてとして、ショーマンが知っていなければならないことだ。

地元住民の興味を惹くことから、エンターテインメントを宣伝するための最新テクノロジーを操ることまで、ショーマンシップにはさまざまな側面があり、そしてこれからも発展しつづけていくだろう。最近の映画プロデューサーは、コミックブック・コンベンションの持つパワーに気づきはじめ、そこでターゲットとなる観客向けにカスタマイズしたショーマンシップを活用し、新手のプロジェクトの立ちあげを始めている。

## 考えてみよう

『タイタニック』や『アバター』を宣伝する場合、どんなショーマンシップをクリエイティブに活用すべきだろうか？

自分自身の才能を売り込んだり宣伝したりする場合、どんなショーマンシップの応用が可能だろうか？

あまりヒットもせず話題にもならなかったが、自分は高く評価しているというお気に入りの映画は、誰にでもひとつやふたつはあるだろう。ショーマンシップを活用してその映画を宣伝し、可能性をフルに発揮させようとする場合、どんな方法が考えられるだろう？

# 第25章　プロの映画脚本家になりたい人のための五か年計画

マッケナ

競争に参戦しよう。たくさんの人間がこういう本を読んで、どうやったら映画業界でひと儲けできるか（あるいは最低でも生計が立てられるか）を学んでいる。夢をかなえるチャンスを増やすために、どうやって動くかの五か年計画を立ててみよう。

**五か年計画**――まずは、一夜明ければ成功者、などという話は転がっていないものだと理解するところから始めよう。名声と幸運が一気に手に入ることもあるかもしれないが、たいていはその前に、長い、困難な、誰にも感謝されない厳しい努力と献身の道のりが待っている。長期にわたって努力しつづけるつもりがないなら、もっと手の届きそうな目標に切り替えることをお勧めする。

**メンテナンスのいらない、仕事のための仕事を見つける**――書くために報酬を得ることは、たいていすぐにできる。あまりプレッシャーのない仕事を見つけて収入を得ればいいのだ。その収入でライターとしての自分を雇えばいい。そうすれば、すぐにでもプロフェッショナルのライターになれる。

どんな仕事を探せばいいだろう？　目標とすべきは、できるだけ少ない労働量で、たくさんの報酬がもらえる仕事だ。自分の時間を現金に換えること。本業はあくまで書くことだ。

頭を絞らなければならないような面倒な仕事はやらないほうがいい。つまり、宇宙飛行士とか、ウォール街のブローカーとか、大統領候補などで金を稼ぐことは勧められない。肉体的負担が大きいし、精神的努力も要求される。

ライターの仕事をするための仕事で、これはうってつけだと思ったのは、『アイアンマン』の共同脚本を手がけている僕の友人、マーク・ファーガスがやっていた仕事だ。マークは若いころ、夜間警備員の仕事に登録した。静かなビルに八時間いればいい仕事だ。ひと晩に数分の巡回をすれば済む。残りの時間は椅子に座って、ただひたすら書いていたそうだ。社会的地位は高いとは言えない仕事だが、ライターの仕事をつかむための時間と金は提供してくれる。何年かしてマークは、現金と、何本かの脚本をおさめたポートフォリオ（書類を入れる平たいケース）を手に、その仕事をやめた。やる気のあるライターには理想的な仕事だろう。

**毎日働く**――パルプ・フィクション（安物の紙に印刷された三文小説）時代に実験的作風で知られた作家のアルフレッド・ベスターは、〝報告する〟ために毎日書いていたと述べている。作家の〝トランス状態〟に自分を追い込み、自分の考えを紙でまとめていたのだ。

物書きは書く。毎日机の前に座れないというのなら、自分にふさわしくない夢を追っていると考えるべきだろう。

どんなことを書くべきか？　できれば、脚本や映画向けの物語に取り組めと言いたいところではある。だが、最低でも一日数時間は、日記を書いたり、個人的な通信文を書いたり（頭脳の排泄物みたいなEメールではなく、旧式の手紙だ）、新聞をスクラップしたりする時間が欲しい（スクラップについては後述する）。

ほかのことと同じように、書くことは習慣だ。書く習慣が作れないなら、まずライター向きとは言えない。

**新聞記事ファイル**――これにはいくつかの作業がともなう。第一に、実際に新聞を読むこと。インターネットでニュースを読むことに反対はしないが、紙に書かれたニュース記事を手にして読むという作業には、なんらかの魔法があるということを覚えておいてほしい。

新聞記事のスクラップ作業とは、単に記事を切り抜いてファイルしろということではない。それだけでは仕事場にゴミが増えるだけだ。

記事を切り抜いたら、その記事について短文を書く。その記事の何に興味を感じたのか？　その記事の本質的なドラマはどこにある？　主役は誰か？　何と対立しているのか？　主役が求めているものは何か、その行く手を阻む障害は何か？　この記事をどうやったら映画にできるか？

これを毎日やれば、ライターになる野望に道筋をつけるための、習慣的な訓練が身につくはずだ。

**読む**――読むことは書くことと背中合わせの作業なので、貪欲に読む習慣（また〝習慣〟だ）を身につけておきたい。

なんでも読もう。ホラー小説が大好きだとしても、セクシー・バイオレンス系のヒストリカル・ロマンスにも目を向けてみよう。リアリスティックな家庭内ドラマに熱中してきたのなら、たまにはスパイもののスリラーも手に取ってみよう。別ジャンルのほかのライターがどんな技を駆使しているかを見て、何が学べるかはなんとも言えない。自分の専門分野に応用できそうな、技術を見つけることができるかもしれない。

売れているものを読もう。もしこの世界で金と名声を得たいのなら、客がどんなものを買うのかはよく知っておくべきだ。文化人を気どるスノッブは、ディーン・クーンツ、ジャッキー・コリンズ、ジェームズ・パターソンなど、凝ったところのない作家を軽視しがちだが、こうした職人たちはつねに仕事にいそしみ、ベストセラーの上位に名を連ねている。読者とつながるすべを知っている作家たちから、学べるものはないだろうか？

**いいものを読む**——マーク・トウェインの名言に、古典とは「賞賛されるが、人々が読まない本」のことだ、というのがある。この逆を行き、五か年計画の一環とすべきだ。一年に四回（季節ごとに一回）古典を手に取り、どんなものか見てみよう。セルバンテスでもトウェインでもフォークナーでもいい。ジェイン・オースティンの映画を全部観ているとしても、どんな小説かまでちゃんと知っているだろうか？

何年か前に、何週間か暇な時間ができたことがある。ふと、自分はシェイクスピアの〝問題劇〟をまったく読んだことがないと思いたった。普通の生徒並みに、『ハムレット』『オセロー』『ロミオとジュリエット』といった基本的なものは読んだが、『ペリクリーズ』『シンベリン』『ヘンリー八世』は読もうとしたこともなかった。

そこで僕はそういった戯曲を手に取り、図書館から朗読の録音も借りてきた。そこから二週間ばかり、僕は世界最高の物語作家の無名作品を読むことに没頭した。

　僕が何を学んだか？　まあ、『アテネのタイモン』はとんでもない駄作で、偉大な作家にも不調の日はあるのだなと思えたことは収穫だった。が、『冬物語』は、僕がこれまで読んだなかでもいちばん魅力的な戯曲のひとつだったと思う。

　ときどき古典に手をつけてみることで、僕の視野は広がり、物語作家として成長もできたと思う。ダンテを読んでみた結果、語りのうまさよりは歴史的意義の大きさだなという認識もできた。だが、オウィディウスは全時代を通じても最高におもしろい作家のひとりだということもわかったし、その作品が僕の作品に影響を与えてくれてありがたく思っている。


**ワークショップや支援グループを探す**——執筆は孤独で寂しい作業だ。が、フィードバックがなければ成長できないし、同じような目標を持った仲間を見つけることは大きな力になる。

　僕が指導しているワークショップでは、ライターが提出した作品をみんなで朗読するようにしている。書き手自身は読む側には加わらず、自分の書いたものがどう受けとられるかを知るため、聞き手に回る。この訓練のつらいところは、書き手はただ聞くだけで、コメントや弁明をしてはならないことだ。

自分の書いたジョークは笑いを取れただろうか？　感動的な場面のはずが、失笑を買ったりしなかっただろうか？　話の要点は、そこにいるみんなに伝わっただろうか？　朗読が終わったら、読み手に物語の要約をやらせたりもする。シノプシスが書き手の意図から、びっくりするほど逸脱することもめずらしくはない。

こうした露骨なフィードバックは非常に貴重だ。グループのメンバーたちの建設的批評はもちろん助けになるが、自分の物語が部屋で演じられることで、作品の主旨がどれだけきちんと書かれているかが、実に明快に理解できる。

ワークショップを探すのであれば、同じレベルで話ができるグループを見つけるといい。自分よりずっと技能の優れたライターのグループに加わっても、効果的なコミュニケーションを取ることはできない。逆に、自分よりも能力の劣るグループに加われば、いい気になることはできるかもしれないが、成長に役だつようなことは学べないと思ったほうがいい。

自分がその集団のまん中あたりにいられるグループがいちばん望ましい。自分より経験や技術を持つメンバーがいれば、その水準と自分の作品とを比べることができる。自分よりレベルの低いメンバーにもいてもらったほうがいい。必要な程度に自尊心を保つためというのもあるが、経験の乏しい仲間がいれば、一緒になって自分のストーリーテリングの秘訣（ひけつ）を明確化していく（できれば共有する）機会を持つこともできる。

**一〇〇日間で一〇〇本の台本を読む**——これは実に単純だが厳しいトレーニングで、プロのストーリー・アナリストとして何年かを過ごしてきた僕の立場からの提案である。三か月ないし四か月のあいだで一〇〇本の脚本を読むことをお勧めしたい（たまに自分の好きな本を読みたければそれも加えてもいい）。

　脚本を読み終えるごとに、今度はそのストーリーのシノプシスを、二ページか三ページでまとめてほしい。こうしたまとめの作業は、大部分の細部を割愛しなければできない。重要なのはそこだ。中心となるキャラクター、主眼となる対立、相互アクション、話の始まり、中盤、終わりなど、物語の根幹を見つけだしてもらいたい。

　さらに、脚本の内容を一文でまとめる。業界用語で言う〝ログ・ライン〟、つまり物語の中心となるひとつのアイデアを書きだすのだ。自分の脚本を執筆するとき、ログ・ラインが進行上の強力なステップとなることがわかると思う。

この訓練がどう役にたつのか？　第一に、脚本を読むことで、自分がマスターしたい形式がわかってくる。第二に、脚本の構成要素を分解することで、それぞれの要素がどう機能しているかを学ぶことができる。

このトレーニングを終わらせると、映画の脚本について、これまで見えなかったものが見えてくるはずだ。それがどんな知識なのかはここでは説明しきれないが、ある意味では『市民ケーン』も『トイ・ストーリー』もみんな同じだということがわかるようになると思う。

ログ・ラインとシノプシスのサンプルとして、マイケル・アーントの『リトル・ミス・サンシャイン』の初期の草稿をまとめたものを載せておくので、参考にして始めてほしい。どんなものを書けばいいかがわかる例だと思う。

タイトル　『リトル・ミス・サンシャイン』

作者　マイケル・アーント

ログ・ライン

争いの絶えない家族が、子どもミス・コンテストに出場する幼い娘のパフォーマンスに自分たちの未来を託す。

シノプシス

四十歳の女性シェリルはさまざまなプレッシャーのもとにある。中間管理職の地位を保つことに加え、十五歳の息子でモヒカン頭をした栄養不良のドウェインや、ミス・コンテストに憧れる七歳のぽっちゃり娘オリーブを養い、さらにヘロインもやるスケベじじいの義父、（老人ホームからも追放された）八十歳のグランパの世話もしなければならない。さらに現在は、自殺願望のある兄のフランクも同居中だ。二番めの夫で、成功の秘訣の啓蒙家、四十五歳のリチャードもあまり頼りにはならない。

鬱に陥っているフランクと、家族全員を嫌って話すことを拒むドウェインのあいだには、ゆるい絆ができている。シェリルがフランクの最近の自殺未遂を語った夕食のテーブルは悪夢のようだった。どうやら、学者のフランクは、ゲイの恋人も研究助成金も、ライバル学者のラリーに奪われてしまったらしい。

そこへ大きなニュースが入ってくる。オリーブが、〝リトル・ミス・サンシャイン〟コンテストの州大会決勝に出ることになったのだ。相互依存のこの家族は、コンテスト会場への長旅を全員で決行しなければならなくなる。車中では、グランパがドウェインにできるだけたくさんセックスをしろと諭したり、フランクが無意味な説教を滔々と始めたり、リチャードがオリーブに体重のことを過剰に意識させたりと、惨憺たるありさまだ。そのうち車が故障し、毎回みんなで車を押して発車させなければならなくなる。

事態はさらに悪化する。プロモーターのスタンがリチャードの新しい自己啓発書を引きうけないと知り、リチャードは落ち込む。フランクは、ライバルのラリーと自分をふったジョッシュが一緒にいるところに出くわし、気まずい思いをする。本の失敗は家族を経済的窮地に追い込み、シェリルはフランクを見捨てようと思いはじめる。オリーブは、自分がコンテストで〝負け組〟になれば、リチャードの愛情を失うのではないかと不安になる。

リチャードは家族を置き去りにし、プロモーターのスタンと対決しようとするが、うまくいかない。グランパは眠っているあいだに死んでしまう。シェリルは一家の破産を覚悟する。だが、リチャードが戻ってきて、この家族には勝利が必要だと訴える。彼らはオリーブのコンテストに間に合うよう、グランパの遺体を乗せたまま旅を続ける。

車のトラブルのせいで、家族は警官に引き止められる。グランパの遺体は見つけられずに済んだが、警官はグランパのポルノ雑誌を没収する。ドウェイン（空軍のパイロット志望）が色覚障害であることがわかり、新たな心の傷が生まれる――またしても夢が破れた。ドウェインが口をきくようになる。実のところドウェインは、家族の全員を憎んでいる自分にも腹をたてていた。フランクはドウェインをなだめ、家族はコンテスト会場へ急ぐ。

グランパの死をなかったことにして走りつづけたことで、リチャードはオリーブをぎりぎりコンテストに間に合わせる。オリーブはライバルたちの様子を見る。オリーブに自意識があれば、自分には望みはないとわかっただろう。フランクは新聞を読んで時間を潰そうとするが、ライバルのラリーが出版した新しい本が、自分のやってきたすべてのことを凌駕していると気づかされる。ドウェインは不機嫌な沈黙に戻ってしまう。リチャードはグランパの火葬を手配する。

オリーブがステージに出ていこうとするとき、リチャードはオリーブに、戻ってくるときには勝者の態度でいてほしいと懇願する。コンテストのあいだ、フランクとドウェインは海岸でおとなしく過ごし、自殺衝動を綴ったメモを見せあう。そのことが二人の心をやわらげる。フランクは自分の学術知識を使い、ドウェインの気分を盛りあげてやる。何より大事なことは、彼らが〝負け組〟であることを認め、闘うのをやめたことだ。
一方リチャードは、オリーブのライバルたちのパフォーマンスを見て意気消沈する。娘にはとても勝ち目はない。娘が恥をかかないよう、コンテストを棄権させてやりたいとも考える。シェリルはリチャードの予期せぬ弱さを見て心を動かされる。ひょっとするとそのことが、リチャードとの未来を立てなおす助けになるかもしれない。

幸い、オリーブは恐れを感じていなかった。グランパの助けでずっと練習してきたオリーブのダンスは、度肝を抜くようなひどいものだった。コンテストの審査員は愕然としたが、家族は彼らを寄せつけないようにし、その間オリーブは観客を圧倒する。ダンスが終わろうとするころに、家族は全員ステージに上がり、オリーブの後ろで憑かれたように踊りはじめる。

そう、家族はいまだ破産に直面しているし、厄介な問題も山積みだ。しかし、踊っているあいだは、誰も彼らを止めることはできない。

これで計画は揃った。日々の訓練はなんでもそうだが、続けてやらなければ効果も上がらない。だが、毎日鍛錬を積めば、これまでと違う自分が見えてくるはずだ。僕が保証する。

### ボグラーからひと言

こういうことを考えつけばよかったと思う。五年前にこれを実行していたら――もう少しましなプロになれていたものを！

本当のところ、私もこうしたことの大半は多少やってきたし、いくつかはすでに自分の生活パターンに織り込まれている。新聞記事や画像のスクラップは続けているし、いまでもよく参考にしたり、インスピレーションを求めたり、ストーリーのアイデアに使ったりしている。

私がプロになるためにやったいちばん有意義なトレーニングは、毎日何か書くことだ。たとえメモ帳に数行殴り書きするだけでも、コンピューターに保存している日記をつけるだけでもいいから続けるようにした。シーンの断片であったり、ストーリーのメモであったり、単なるその日の活動だったりすることもあったが、おかげで、書くために必要な私の筋肉と神経系統は、毎日書くという身体活動を覚え込んでくれたようだ。

〝毎日書く〟というアイデアは、ジュリア・キャメロンのすばらしい著作、『ずっとやりたかったことを、やりなさい。』（サンマーク出版、二〇〇一年）から得たもので、この本は、自信を持ってアーティストの道を歩むための偉大な手引書である。また、ナタリー・ゴールドバーグの『魂の文章術』（春秋社、二〇〇六年）も優れた情報源となってくれる文献だ。ライター会議でゴールドバーグの話を聞いたことがあるが、彼女は聴衆全員に筆記用具を出して実際に使わせた。書くもののアイデアと同じように、執筆の身体的活動やタイピングに慣れることも大事だというのは、まさに彼女に教わったことである。

# 第26章　映画会社は脚本に何を求めているか

ボグラー

映画会社のリーダーとして何千単位の映画の脚本を読んできて、〝カバレッジ〟において物語を要約し、長所と短所を説明し、推薦をおこなうなかで、私はどの脚本についてもくり返し同じような問いかけを自分にしていることに気がついた。あるとき、こうした問いかけを集めてプリントにまとめ、映画の脚本家やストーリー・アナリスト志望の学生に配った。映画会社の幹部やリーダーが、脚本や小説や原案を評価するときに自分に投げかける問いかけのチェックリストだが、これはエージェントや書籍編集者、監督、役者が作品を読んだとき、それを選ぶか決めるための問いかけでもある。

チェックリストの多くは、ベテランはもちろん、駆けだしのライターも当然知っているようなことだが、ストーリーテリングは複雑な作業であり、つねにすべてを念頭に置いておけるとは限らない。このチェックリストがあれば、ときどき基本に返ってみたり、誰かが自分の作品を初めて読むときの心構えを忘れないでおくためには役にたつ。

私が脚本を書くときの課題は、私が〝関門(パス)〟と呼ぶ一連のステップに分けることができる。この〝パス〟とは、特定の問題に対処し、物語の層を増やし、不必要な部分を削除し、特定の性質を作品に与えるために、物語の全体にわたっておこなう操作と考えてもらえればいい。たとえば、最初の脚本の〝パス〟は、サブプロットや脇役のキャラクターを気にせずに、主要キャラクターや主要なシチュエーションを書いてみた最初の草稿に当たる。その後、第二の〝パス〟として、脚本全体のサブプロットをふくらませたり、いくつかの場面や台詞(セリフ)を追加してサブプロットを発展させたり、脇役のキャラクターに深みをつける。さらに、第三の〝パス〟で悪者を発展させ、第四の〝パス〟で会話やジョークを研ぎすませ、第五の〝パス〟で脚本に独自の雰囲気や一貫性を与え……というふうにやっていく。不必要なものを削るためにもいくつかの〝パス〟を作ることになる。草稿を改良していく最善策のひとつだ。

以下のチェックリストに出てくる問いかけは、おこなうべき操作のいくつかを提案する。各項目に対処するために物語全体に形式ばった〝パス〟を作る必要はないかもしれないが、どの問いかけもいずれは執筆プロセスにおいて配慮しなければならないことばかりである。

## キャラクター

☑キャラクターには現実味があるだろうか？

☑キャラクターの行動は人間の性質と矛盾していないか？　現実的だろうか？　（あるい

は、それがファンタジー世界の話でルールが異なる場合、少なくともそのルールは首尾一貫した論理的なものだろうか？）

☑キャラクターは、人間が何を言うかではなく、人間がどういう行動をとるものかを（視覚的に）見せているだろうか？（映画は視覚メディアである。モーション・ピクチャーと呼ばれるぐらいで、動きを必要とする）

☑誰の物語かが明確になっているだろうか？　誰を応援すべきか観客に伝わっているか？

☑主要キャラクター（主人公、アンチヒーロー的主人公、物語の主役）が誰なのかわかるようになっているだろうか？　主人公には好かれる魅力があるか？　あるいは、〝共感しやすさ〟、つまり、なんらかの興味深い欠点や、誰もが理解できるような問題を持っていたりするだろうか？

☑主要キャラクターは、変化、成長、発展をとげる、あるいはなんらかの人生の教訓を学んでいるだろうか？

☑主要キャラクターは、物語の全般にわたり、受身にならず活発に動いているだろうか？　受身性質のキャラクターなら、いずれかの時点で自分のために立ちあがったり、行動に出たりするだろうか？

☑主要キャラクターは、内面と外面の両方に解決すべき問題を抱えているだろうか？　脇役のキャラクターは主役の〝引きたて役〟を演じているだろうか？　脇役は主役の隠れた面を引きだしたり、主役とは違う性質を持つ補完的な役割を演じているだろうか？

☑主役と悪役の力量は匹敵するだろうか？　悪役には、何か興味深い、優位な点があるだろうか？

☑この物語は、一流の役者がぜひ演じたいと思うような、魅力的な役を揃えているだろうか？

## 構造

☑ストーリーはよくできているだろうか？　人を惹きつける魅力はあるか？　人を巻き込めるか？　感情をかきたてたり、体内器官を刺激するようなものがあるだろうか？　何かを感じさせるだろうか？

☑対立関係や、これはなんの物語かが、最初の何ページかで明らかになっているだろうか？

☑流れはスムースか？　それとも、不安定さや混乱があり、観客を疲れさせたりしないだろうか？

☑物語を引っぱる強力な語り口があり、つねに活発に話が進んでいるだろうか？　散漫なところや、無関係な脱線はないだろうか？

☑物語には、興味深い、予想のつかない発展や謎解きがあるだろうか？　何分かに一度おもしろいことや驚くことが起きるだろうか？　（いっそ毎ページに一度、と言いたいとこ

ろだ）

☑エキサイティングなオープニングとなっているだろうか？　驚きや謎ですぐに観客の注意を惹きつけることができているだろうか？

☑場面の移動はスムースか、あるいは視覚的におもしろいものになっているだろうか？

☑必要な説明は上品かつ無造作におこなわれているだろうか？　プロット上の細かい新事実を、率直すぎるぎこちない手法で明かしたりしていないだろうか？

☑ストーリーは適度なスピードで〝転がっていく〟だろうか？

☑第二幕の部分では、新鮮で意外な展開によって、観客の興味を維持できているだろうか？

☑主要キャラクターは早い段階で紹介され、存在感を確立できているだろうか？

☑クライマックスでは、最初の約束ごとが達成されているだろうか？

☑悪役は報いを受けているだろうか？　罰は罪に見あったものだろうか？

☑書き手は物語の筋書き全体にわたって〝ぬかりなく仕上げている〟だろうか？　端役のキャラクターにいたるまで、映画のテーマを反映した形で問題に取り組んでいるだろうか？

☑物語の構造はバランスが取れているだろうか？　何かが欠けている、不必要な反復がある、間違った配置がなされている部分はないだろうか？

☑結末は満足のいくものだろうか？　それとも〝だから何？〟という感情を残したりはしないだろうか？

## 会話

☑実際に人々が話しているような会話になっているだろうか？

☑首尾一貫した会話になっているだろうか？　その〝キャラクターらしい〟ことを話しているだろうか？

☑キャラクターは全員、それぞれ異なる話しかたをしているだろうか？　ライター自身の言葉のような台詞になっていないだろうか？

☑その映画の時代や設定にふさわしい会話になっているだろうか？

☑コメディ映画の場合、滑稽（こっけい）な会話になっているだろうか？　（驚くかもしれないが、滑稽でないコメディの脚本は山のように存在する）

☑会話が〝流れ〟をたどれている、つまり、ひとつの台詞が自然に次の台詞へとつながっているだろうか？

☑〝芝居がかりすぎ〟たり、〝しゃべりすぎ〟たり、会話に頼るあまり視覚効果が不足した脚本になっていないだろうか？

☑台詞を比較的短めにとどめ、役者が覚えやすいようにしてあるだろうか？

☑主要キャラクター（もしくはスターの役？）の台詞がほかの役者より多めになっているだろうか？　（またはいい場面を与えているだろうか？）

## コンセプト

☑新しい、もしくは新鮮な感じのする作品だろうか？　あるいは、おなじみの題材に新しいひねりを利かせてあるだろうか？

☑この作品を観たがる観客はいるだろうか？　四種類の観客層――若い男性、若い女性、大人の男性、大人の女性――の誰もが観たがる作品、誰にでも訴える作品というのが理想的だ。ストーリーがこのうちひとつの観客層しか惹きつけない場合でも、その観客層全員が観たがるようなものなら成功できる。つまり、その観客層に〝ぜひ観たい〟という強い気持ちを呼びおこせればいい。興行収入をあげるには努力が必要だ。

☑話の中心に、異なる道徳観や信念などの明白な対立図式があるだろうか？　単なる善悪の対立だけで終わっていないだろうか？

☑映画の中心にあるアイデアで、観客を〝つかむ〟ことができるか？　観客を〝釣りあげる〟ものがあるだろうか？　脅威、危険、謎などに観客を巻き込むことができるか？　思わず座席から身を乗りだしてしまうような、センセーショナルなものがあるだろうか？

☑宣伝キャンペーンに使えそうな要素はあるだろうか？　観客の気をそそるようなセンセーショナルなものはあるだろうか？　どこかしらセクシーな、あるいはエキサイティングな部分はあるだろうか？

☑発想はユニークなものだろうか？　毎晩のテレビ番組では観られないようなものを提供できる作品だろうか？

☑短い言葉でたやすく説明できるような作品だろうか？　宣伝しやすい作品だろうか？

☑明確なテーマはあるだろうか？　なんについての映画かはっきり伝えているだろうか？　すべてのシーンは中心となるテーマの反映になっており、そのテーマの新しい側面を紹介できているだろうか？

☑比較に使える似たタイプの映画は存在するだろうか？　〝『アバター』と『ビバリーヒルズ・チワワ』をミックスしたような作品！〟というような形で要約することは可能だろうか？

☑タイムリーなアイデアの映画だろうか？　いま世間の注目を集めていることに関係のある作品、もしくは〝時代精神〟に合った作品だろうか？　万人共通の恐れを刺激したり、万人共通の願いをかなえたりする作品だろうか？

☑設定が現代ではない場合、観客にもわかりやすい現代世界との類似点はあるだろうか？

☑この作品はクールだろうか？

**予算**

☑製作費は極端に高くなるだろうか？　（大勢のキャストが必要、大衆の場面がある、外国が舞台になっている、遠い昔の話である、さまざまな特殊効果が必要、大がかりな水中や海上での場面がある、など）高い予算を正当化できるだけの、万人に訴える強い要素があるだろうか？

☑世界市場にアピールできるものがあるだろうか、それとも特定の市場や文化圏でなければ魅力のない作品だろうか？　会話の多い映画は他国語では成功しないこともあり、台詞の多いコメディや国技的なスポーツ作品も世界の舞台では理解されにくい。叙事詩、アクション、ホラー、体を使った単純なコメディなどは外国でもヒットしやすい。

☑予算削減のためにカットできる要素や場面はあるだろうか？　複数のキャラクターや場面をひとつにまとめ、より明確で単純な物語にして、予算を抑えることはできるだろうか？

☑音楽著作権や特定人物の映画化権の取得が困難、または高額になりそうな作品だろうか？

☑この作品の製作には〝スター〟俳優その他のタレントが必要だろうか？　たとえば、特定の監督に任せるだけで充分な作品だろうか？

☑同じようなテーマで同等の予算のほかの作品は、興行的に成功しているだろうか？

**基本ライン**

☑一年に一〇本しか映画が創れないとしたら、この作品はそのなかの一本に入るだろうか？

☑ 自分や映画会社の幹部は、この映画を自分の娯楽のために観に行くだろうか？　自分の家族や知り合いの全員にこれを観るべきだと言えるのでなければ、イエスとは答えないでほしい。

☑ くり返しになるが、この映画がターゲットにしている観客は誰か？　製作費をかけた分だけ観てくれる観客がいると言えるだろうか？　（映画には莫大（ばくだい）なプリント費や宣伝費がかかるため、製作費の三倍から四倍の収益をあげなければ元は取れない）

☑ この脚本には独自のものがあるだろうか？　安っぽい一触即発のホラー映画の場合、この作品は良質の安っぽい一触即発のホラー映画になっているだろうか？

☑ 映画会社にとって適切な作品だろうか？　特定の観客にアピールする作品でバランスの取れた製作リストを作るという、映画会社の一般戦略にフィットしているだろうか？　映画会社の経営陣が求めているような作品だろうか？

☑この映画は金曜夜の公開時に、ランキング一位になる可能性があるだろうか？

これらの質問を念頭に置いてストーリーを創り、草稿を送る前にもう一度チェックリストを確かめよう。ここにある質問の多くにうまく答えられないなら、また最初からやりなおそう！

# 第27章 ではさらば——私の捨て台詞

ボグラー

私がセントルイスの郊外に暮らしていた子どものころ、感謝祭や独立記念日などに親族で集まると、だいたい二つのグループに分かれたものだった。女性陣はキッチンやダイニングルームを占拠し、料理の支度をしたり、ヤーツィーというゲームをやったり、レシピの比べっこをしたり、家族の噂話をしあったりしていた。男性陣、すなわち私の父とその兄弟たちは、ガレージか裏庭のパラソルの下に集まり、地元のエールをがぶがぶ飲み、スポーツや仕事の話もしていたが、大半の話題は、彼らがかつて使っていたパワフルな大工道具の思い出だった。「地下室にあった帯鋸を覚えてるか?」フレッドおじさんがいつものように遠い目で切りだす。「ああ、もちろん、あれはモンスターだったよな」と、タイマーおじさんが返事をする。「あれであやうく親指をなくすとこだったんだ。階段の下に運ぼうとして動かせなくなって、パパにすごく怒られたよな?」するとほかのおじが、工事現場から回収してガレージの隅に山積みになっていたシャベルの話を始める。パパ、つまり私の父の父が、道行く人にキャンディを配るみたいに、そのシャベルを配ったのだそうだ。

私の父やその兄弟たちは全員、戦後の建設産業で働いた熟練の職人たちで、毎日の仕事に道具は欠かせないものであり、そして道具を愛していた。道具は彼らの人生のさまざまな時期を連想させるものであり、仕事のことや、自分たちがとおってきたライフステージのことを思いださせるのだ。

　コンクリート職人だった私の父が亡くなったとき、私や私の姉妹たちは棺(ひつぎ)に二つの品物をおさめた。父がいつでもゴルフができるようにとゴルフボールを一個、それに、父がコンクリートをならして成形するために使っていた、ダイヤ形の金属板でできたこてだ。父がそのこてを使うと、コンクリートはまるでダンスを踊っているみたいだった。父方のおじのウォレンは、私たちが父の手のそばにこてを置いたのに気づき、軽い抗議を唱えた。「いい新品のこてじゃないか」それでもおじは私たちが父にした気遣いをわかっていて、そのまま棺に入れておいてくれた。父は生涯にわたって古い道具に魅了されていた人で、引退したあとはアンティークの手びき鋸を見つけてきては、修復するのを趣味にしていた。とても美しい道具だったし、そのうえ楽器にもできるのだ。ひざに挟んで曲げ、バイオリンみたいに弾くことができる。

　私たちがストーリー創作ツールのコレクションでやろうとしたのも、まさにそういうことだ。古来の道具のいくつかをよみがえらせて復旧させ、自分の仕事に使ったり、ときにはそれで音楽を奏でたりできるようにする。読者の皆さんもこのツールで、ぜひ自分のストーリーを踊らせたり歌わせたりしてみてほしい。

ツールの在庫品を提供するに当たっては、私たちが偉大なる教師たちや優れた物語作家の肩の上に立たせてもらっているのだということを、つねに念頭に置いた。忘れられた領域に注目を集め、知識の世界にささやかな貢献をおこなったことが、彼らの伝統を讃えるしるしにできていることを願っている。

私たちがツールキットとして集めてきた手順やシステムが、読者の皆さんにとっても便利なものになってくれればうれしい。私たちにとっては便利という以上のものだ。実のところ、このツールキットは、なくてはならない生命線だ。何千ものストーリーを理解して評価する道のりをくぐり抜けていくときに、私たちのコンパスや地図となって助けてくれたり、ストーリーを成形したり導いたりするための大事な道具なのだ。こうした道具を使いこなすのは喜びでも楽しみでもあり、私たちはともにその作業に熱中している。私たち二人のどちらも、この道具を人と共有し、これらについての話題や議論を盛りあげたいという純粋な情熱にかられている。

ツールキットとそれについての議論は、読者の皆さんに委ねる。ツールを基盤に使い、ツールをさらに洗練させ、自分のものにしてほしい。ぜひこのツールの応用にチャレンジしてほしい。自分の経験のさらなる発展と、自分に足りないものの獲得に努めるべく、ツールの流れのなかに考えを解き放ち、ストーリーテリングの書庫に新しい発見を加えてほしい。アリストテレスやテオプラストスが始めた議論はこれからも続いていくし、読者の皆さんもそこに加わってもらいたいと思う。ストーリー・ツールの多くは不朽不変のものではあるが、物語とは何かという考えそのものはつねに進化するもので、新しいメディアや新たな人間の需要に合わせるためには、物語を曲げたり伸ばしたりする必要がある。読者の皆さんも、本書のツールキットを自分の手の内におさめ、さらに必要に応じて新しい道具を追加してもらいたい。

私たちのこの探求が、自分はなぜ物語を語りたい衝動を抱えてここにいるのか、この衝動をどうすればいいのか、そうしたことを見きわめるための助けとしても役だてば幸いだ。物語のアイデアのなかには、高周波数の震動を伝えてきたり、人の想像をかきたてたり、もっと練ってみたいと思わせたりするようなものがある。それは無意識からの信号なのだ。その手がかりに従ってみよう。それが書き手のパワーの源であり、新しい発見への導き手になってくれる。

ひとつ確かなことがある――自分がツールに何かを入れてみれば、きっとそこから何かが得られる。もっと言えば、そこに何かを入れれば、それ以上の何かが返ってくるのだ。

私たちも、自分たちが作業中の作品や、分析や編集をおこなっている映画、演出している芝居などに、これらのコンセプトやツールを応用してみて、自分たちが投じた以上のエネルギーが生まれてくることに気づいた。私たちは思った以上のことを学ぶことができたし、作品や観客に及ぼす影響も想像以上だった。

そんなわけで、読者の皆さん、幸運を祈る。これらのツールを最大限に活用し、楽しんでほしい。エンジニアのウィリアム・マルホランドが、ロサンゼルスをモダンな街にしてくれる送水路を引き、その水路をオープンするときに言ったという言葉を借りよう。

「さあこれだ、受けとってくれ」

旅の途中のボグラー（左）とマッケナ。

本書は、二〇一三年九月に小社より刊行した『物語の法則
強い物語とキャラを作れるハリウッド式創作術』を改題のう
え上下巻に分け、一部再編集したうえで刊行したものです。
下巻では第13章〜第27章（最終章）を収録しています。

**クリストファー・ボグラー&デイビッド・マッケナ**
【ボグラー】1949年、米国ミズーリ州生まれ。ハリウッドでストーリー開発の第一人者として注目されるストーリー開発コンサルタントにして、脚本家、作家、教育者。ジョージ・ルーカスの母校である南カリフォルニア大学 School of Cinema-Televisionで映画製作を学ぶ。ストーリー開発に携わった映画は、ディズニーの『美女と野獣』『ライオン・キング』の他、『アイ・アム・レジェンド』『ハンコック』『レスラー』など多数。
【マッケナ】1949年、米国ニュージャージー州生まれ。コロンビア大学、バーナード大学などで映画を教える。1万作以上の脚本のストーリー分析をおこない、フォーカス・フィーチャーズ、HBO、20世紀スタジオなども顧客に持つ。演出家として100以上の舞台を上演し、大半の脚本の共同執筆もおこなっている。

**（訳）府川由美恵（ふかわ・ゆみえ）**
翻訳家。訳書に、小説「アイスウィンド・サーガ」シリーズ、アメコミ『DUNGEONS & DRAGONS ダークエルフ物語』3部作（以上、KADOKAWA）など。

面白い物語の法則〈下〉
強い物語とキャラを作れるハリウッド式創作術

クリストファー・ボグラー&デイビッド・マッケナ
府川由美恵（訳）

2022年 2月10日　初版発行
2024年10月20日　3版発行

◆◇◇

発行者　山下直久
発　行　株式会社KADOKAWA
〒102-8177　東京都千代田区富士見2-13-3
電話　0570-002-301(ナビダイヤル)

装 丁 者　緒方修一（ラーフイン・ワークショップ）
ロゴデザイン　good design company
オビデザイン　Zapp!　白金正之
印 刷 所　株式会社KADOKAWA
製 本 所　株式会社KADOKAWA

角川新書
 ISBN978-4-04-082425-3 C0274